Intelligence émotionnelle 2.0

Les Éditions Transcontinental
1100, boul. René-Lévesque Ouest, 24e étage
Montréal (Québec) H3B 4X9
Téléphone : 514 392-9000 ou 1 800 361-5479
www.livres.transcontinental.ca

Pour connaître nos autres titres, tapez **www.livres.transcontinental.ca.** Pour bénéficier de nos tarifs spéciaux s'appliquant aux bibliothèques d'entreprise ou aux achats en gros, informez-vous au **1 866 800-2500.**

Catalogage avant publication de Bibliothèque et Archives nationales du Québec et Bibliothèque et Archives Canada
Bradberry, Travis
L'intelligence émotionnelle 2.0
Traduction de : Emotional intelligence 2.0.
ISBN 978-2-89472-440-8

1. Intelligence émotionnelle. I. Greaves, Jean. II. Titre.
BF576.B7314 2010   152.4   C2010-940222-7

Traduction : Jacinthe Lesage
Révision : Leila Turki
Correction : Sylvie Michelon
Mise en page : Diane Marquette
Conception graphique de la couverture : Studio Andrée Robillard
Impression : Transcontinental Gagné

© 2009 by TalentSmart
© 2009 by Travis Bradberry, Ph.D., and Jean Greaves, Ph.D.

Imprimé au Canada
© Les Éditions Transcontinental, 2010, pour la version française publiée en Amérique du Nord
Dépôt légal – Bibliothèque et Archives nationales du Québec, 2e trimestre 2010
Bibliothèque et Archives Canada

Nous reconnaissons, pour nos activités d'édition, l'aide financière du gouvernement du Canada par l'entremise du Programme d'aide au développement de l'industrie de l'édition (PADIÉ). Nous remercions également la SODEC de son appui financier (programmes Aide à l'édition et Aide à la promotion).

Les Éditions Transcontinental sont membres de l'Association nationale des éditeurs de livres (ANEL)

Travis Bradberry et Jean Greaves

Intelligence émotionnelle 2.0

Les Éditions
Transcontinental

Aux fidèles formateurs de TalentSmart^{MD} et aux personnes qui ont participé à ces séances. Votre passion a donné vie à ce livre.

Collaborateurs
Les personnes suivantes ont apporté
une contribution significative à ce livre :

Sue DeLazaro, M.S.

Melissa Monday, Ph. D.

Jean Riley, Ph. D., ABD

Lac D. Su, Ph. D. ABD

Nick Tasler, M.S.

Eric Thomas, MBA, M.S.

Lindsey Zan, M.S.

Table des matières

PRÉFACE 11

1
Un voyage 13
Lorsque raison et sentiments sont en conflit 15
Votre voyage 18

2
Une vue d'ensemble 21
Événements déclenchants et perte de contrôle des émotions 23
Les principaux éléments qui forment une personne 24
L'impact du QE 26

3
Les quatre habiletés liées à l'intelligence émotionnelle 29
La conscience de soi 30
La maîtrise de soi 36
La conscience sociale 41
La gestion des relations 46

4

Un plan d'action pour améliorer votre QE 51

Mon plan d'action pour améliorer mon QE 54

    Première partie – Le début de mon voyage 54

    Deuxième partie – La destination atteinte 55

5

Les stratégies pour développer la conscience de soi 57

Liste des stratégies 58

   1. Cessez de considérer vos émotions comme
   simplement bonnes ou mauvaises 59

   2. Observez l'effet d'entraînement de vos émotions 60

   3. Surmontez votre malaise 61

   4. Ressentez physiquement vos émotions 62

   5. Identifiez les personnes et les situationsqui vous irritent 63

   6. Gardez un œil objectif 64

   7. Tenez un journal de vos émotions 65

   8. Ne vous laissez pas duper par votre mauvaise humeur 66

   9. Ne vous laissez pas duper par votre bonne humeur 67

 10. Prenez le temps de vous demander pourquoi vous
   agissez comme vous le faites 68

 11. Examinez vos valeurs 69

 12. Surveillez votre apparence 70

 13. Servez-vous de livres, de films et de musique
   pour cerner vos émotions 71

 14. Ouvrez-vous aux commentaires des autres 71

 15. Apprenez à vous connaître même en situation de stress 72

6

Les stratégies pour développer la maîtrise de soi 75

Liste des stratégies 76

1. Apprenez à respirer 77
2. Dressez une liste opposant les émotions à la raison 79
3. Faites connaître vos objectifs 80
4. Comptez jusqu'à 10 81
5. Laissez la nuit vous porter conseil 82
6. Parlez à un expert de la maîtrise de soi 83
7. Souriez et riez 84
8. Réservez chaque jour un peu de temps à la résolution
    de problèmes 85
9. Soyez maître de votre discours intérieur 86
10. Imaginez-vous en train de réussir 88
11. Améliorez votre hygiène du sommeil 89
12. Concentrez-vous sur les options qui s'offrent à vous et non
    sur les limites que vous impose une situation donnée 90
13. Ayez une bonne synchronie 91
14. Discutez avec une personne qui n'est pas
    émotionnellement impliquée dans votre problème 92
15. Tirez des leçons des gens que vous rencontrez 93
16. Intégrez dans votre horaire des activités qui vous aident
    à recharger vos batteries mentales 94
17. Acceptez les changements 95

7

Les stratégies pour développer la conscience sociale 97

Liste des stratégies 99

1. Saluez les gens par leur nom 99

2. Soyez attentif au langage corporel 101

3. Ayez un bon *timing* 102

4. Gardez en réserve une question passe-partout 103

5. Ne prenez pas de notes durant les réunions 104

6. Préparez-vous aussi aux réunions mondaines 105

7. Ne vous laissez pas distraire 106

8. Vivez le moment présent 107

9. Prenez 15 minutes pour faire le tour de votre lieu
de travail 108

10. Observez l'intelligence émotionnelle des acteurs
de cinéma 109

11. Pratiquez l'art d'écouter 110

12. Prenez le temps d'observer les autres 111

13. Comprenez les règles culturelles 112

14. Vérifiez la justesse de vos observations 113

15. Mettez-vous dans la peau de votre interlocuteur 114

16. Dressez un portrait complet de vous 115

17. Jaugez l'état d'esprit qui règne dans la pièce 117

8
Les stratégies pour développer la gestion des relations

Les stratégies pour développer la gestion des relations 119

Liste des stratégies 120

1. Soyez ouvert et intéressez-vous aux autres 121

2. Affinez votre style de communication naturel 122

3. Évitez d'envoyer des signaux contradictoires 123

4. Ne négligez jamais de petites choses comme la politesse 125

5. Acceptez les commentaires des autres 125

6. Bâtissez la confiance 127

7.   Gardez votre porte ouverte 128

8.   Ne vous fâchez que volontairement 129

9.   Ne tentez pas d'éviter l'inévitable 130

10. Soyez sensible aux sentiments des autres 132

11. Trouvez la bonne façon de réagir à une autre personne
     ou à une situation donnée 133

12. Montrez votre appréciation 134

13. Expliquez vos décisions 135

14. Adressez des critiques directes et constructives 137

15. Alignez intentions et résultats 138

16. Intervenez et arrangez les choses avant qu'une discussion
     ne s'envenime 140

17. Affrontez les discussions houleuses 141

CONCLUSION
Coup d'œil sur les dernières découvertes
en matière d'intelligence émotionnelle

Coup d'œil sur les dernières découvertes
en matière d'intelligence émotionnelle 145

Les pôles s'érodent : l'intelligence émotionnelle
passée et actuelle 146

La guerre des sexes 150

Le pouvoir et l'intelligence émotionnelle 152

L'écart entre les générations : le QE et l'âge 154

L'arme secrète des Chinois en matière d'intelligence
émotionnelle 157

Le mot de la fin : l'intelligence émotionnelle et l'avenir 161

NOTES

NOTES 163

POUR EN SAVOIR PLUS

POUR EN SAVOIR PLUS 169

Préface

Ni l'éducation, ni l'expérience, ni les connaissances, ni les capacités intellectuelles ne servent d'indices adéquats au moment de déterminer les raisons pour lesquelles une personne réussit, et une autre, non. C'est ce que nous pouvons constater tous les jours au travail, à la maison, à l'école et dans notre entourage. Des personnes supposément brillantes et instruites ont de la difficulté à réussir, alors que d'autres, qui ont de toute évidence moins de compétences ou de capacités, connaissent facilement le succès. Pourquoi donc ?

Parce qu'il existe un autre élément dont la société ne semble pas tenir compte. Il s'agit du concept de quotient émotionnel. Bien qu'il soit plus difficile à reconnaître et à mesurer que le QI ou l'expérience, et certainement difficile à capter sur un C.V., il est impossible d'en nier le pouvoir.

Nous avons tous déjà entendu parler de l'intelligence émotionnelle, mais nous ne savons pas toujours en exploiter le pouvoir. Après tout, la société ne cesse de nous inciter à nous perfectionner, c'est-à-dire à améliorer nos connaissances, à accroître notre expérience, à cultiver notre intelligence et à parfaire notre éducation. Ce serait très bien si nous pouvions affirmer que nous appréhendons bien nos émotions et celles des autres, et que nous comprenons aussi l'influence fondamentale qu'elles exercent sur notre vie, et ce, jour après jour.

Selon moi, il y a deux raisons pour lesquelles il existe un écart entre la popularité de l'intelligence émotionnelle en tant que concept et la difficulté à mettre cette intelligence en application. Premièrement, les gens ne la comprennent pas. Ils la confondent avec le charisme ou la sociabilité. Deuxièmement, ils ne la considèrent pas comme un élément capable d'être amélioré : ils croient qu'on est émotionnellement intelligent ou qu'on ne l'est pas.

Voilà pourquoi ce livre est aussi utile. Il aide à comprendre ce qu'est vraiment l'intelligence émotionnelle et à s'en servir comme d'un levier pour tirer profit de toute son intelligence, de son éducation et de son expérience.

Enfin, que vous vous posiez des questions depuis des années sur l'intelligence émotionnelle ou que vous ne connaissiez rien à ce sujet, ce livre changera radicalement votre conception de la réussite. Vous voudrez peut-être même le relire.

Patrick Lencioni
Auteur de *The Five Dysfunctions of a Team*
Président de l'entreprise Table Group

1

Un voyage

Le chaud soleil de Californie réchauffe la plage de Salmon Creek lorsque Butch Connor sort de son camion. C'est le début d'une longue fin de semaine, une journée parfaite pour se lancer à l'assaut des vagues avec sa planche de surf. La plupart des autres surfeurs de la région ont eu la même idée que lui ce matin-là et, après une trentaine de minutes, Butch décide de s'éloigner de la foule. Il se propulse à la surface de l'eau vers un bout de la plage où il lui sera possible de profiter de quelques vagues en paix.

Après avoir pagayé avec ses bras une quarantaine de mètres pour s'éloigner des autres, il s'assoit sur sa planche en se laissant dériver, attendant une vague qui lui conviendra. Une magnifique vague bleu sarcelle se met à déferler le long du littoral et, à l'instant où il s'étend sur sa planche pour essayer de la rattraper, un lourd clapotement retient son attention. Il jette un coup d'œil par-dessus son épaule droite. Il est aussitôt glacé d'effroi à la vue d'un aileron de 30 centimètres qui fend l'eau en se dirigeant droit vers lui. Ses muscles se raidissent ; le souffle coupé, il se sent gagné par la panique. Il n'entend plus que son cœur battre la chamade alors même qu'il remarque les reflets du soleil sur l'aileron grisâtre.

La vague finit par dévoiler à Butch la pire des calamités : un énorme requin blanc de plus de quatre mètres de long. Paralysé par la peur, il laisse passer la vague et, par le fait même, la possibilité d'arriver rapidement et en toute sécurité sur la plage. Il reste seul avec le requin. Faisant des demi-cercles, celui-ci approche de plus en plus de la gauche de Butch, trop paralysé par la proximité de l'énorme animal pour se rendre compte que sa jambe gauche pend dangereusement à l'extérieur de sa planche de surf. « Il est aussi gros que ma Volkswagen », se dit Butch.

Il éprouve l'envie irrésistible d'étendre le bras pour toucher le requin. « De toute façon, il va me tuer, pense-t-il. Pourquoi ne pourrais-je pas le toucher ? »

Le requin ne lui laisse aucune chance. Il ouvre ses mâchoires énormes pour tenter d'attraper sa jambe. Il la rate de peu. Cet assaut fait toutefois tomber Butch de l'autre côté de la planche de surf. Butch se met à se débattre dans l'eau trouble de l'océan. Cela excite le requin, qui bouge frénétiquement la tête en ouvrant et en refermant les mâchoires. Mais il ne réussit qu'à faire gicler l'eau tout autour. Ironiquement, Butch reprend ses esprits, sachant qu'il n'aura pas d'autre chance de s'en sortir contre cet énorme tueur de près de 1 500 kilos. L'idée de s'échapper et de survivre s'impose à lui aussi fortement et rapidement que la terreur l'a figé quelques instants plus tôt.

> La vague finit par dévoiler à Butch la pire des calamités : un énorme requin blanc de plus de quatre mètres de long.

Le requin, qui a mis fin à ses tentatives d'attaque, nage maintenant autour de la proie convoitée en traçant des cercles de plus en plus serrés. Au lieu d'essayer de remonter sur sa planche de surf, Butch décide de se laisser flotter sur le ventre en la tenant à bout de bras. Il la fait tourner autour de lui en s'en servant comme d'un bouclier. Tout en craignant une autre attaque, il voit sa peur se muer en colère. Au moment où le requin s'approche dangereusement de lui, il décide qu'il est temps de se battre. Il pointe sa planche vers l'animal. Dès que celui-ci lève la tête hors de l'eau pour l'attaquer, il lui assène un bon coup dans les branchies. Le requin se met à se débattre. Butch profite de cette accalmie pour grimper sur sa planche et crier « requin ! » aux surfeurs qui se trouvent tout près. Cela leur donne le temps de se diriger rapidement vers la terre ferme.

Butch décide ensuite de pagayer vers la sécurité de la plage, mais le requin le rattrape en quelques instants et se remet à l'encercler. Il se dit que sa tactique de diversion n'aura servi qu'à retarder l'inévitable. Il tremble de peur sur sa planche. Il tente de la pointer vers le prédateur, mais il est trop terrorisé pour se remettre à l'eau. Ses pensées voguent entre la terreur et la tristesse. Il se demande comment ses trois enfants s'en sortiront sans lui et combien de temps il faudra à sa conjointe pour refaire sa vie. Mais il veut vivre. Il veut échapper à ce monstre. Il se dit qu'il doit se calmer pour y parvenir, car il croit que le requin peut sentir sa peur, ce qui le motive à l'attaquer. Il décide donc de se contrôler. À sa grande surprise, son corps l'écoute. Il cesse de trembler, et le sang se remet à circuler dans ses bras et dans ses jambes. Il se sent fort. Il est prêt à pagayer. Et c'est ce qu'il fait jusqu'à la plage, même s'il a l'impression que le requin est juste derrière lui et qu'il se tient prêt à l'attaquer.

Au moment où Butch arrive au rivage, il voit un groupe de personnes et de surfeurs atterrés qui l'attendent. Les surfeurs lui tapotent le dos et le remercient de les avoir prévenus de la présence du requin. Jamais Butch Connor n'a été aussi heureux de se trouver sur la terre ferme.

Lorsque raison et sentiments sont en conflit

Butch et le requin blanc n'étaient pas les seuls à se battre dans l'eau ce matin-là. Dans le cerveau de l'homme, la raison et des émotions intenses luttaient pour contrôler le comportement. Les émotions prenaient souvent le dessus, ce qui était à la fois plutôt néfaste à Butch (une peur paralysante) et bénéfique à certains moments (la colère lui a donné l'énergie nécessaire pour frapper le requin avec sa planche de surf). Puis, au prix d'un effort énorme, Butch a réussi à retrouver son calme et — après s'être rendu compte que le requin ne s'éloignait pas — à pagayer jusqu'à la côte, une décision qui lui a sauvé la vie. Bien sûr, la majorité des gens n'auront jamais à affronter un requin blanc, mais leur cerveau doit lutter tous les jours comme l'a fait celui de Butch.

Le défi quotidien de faire face à ses émotions efficacement est crucial pour l'être humain. En effet, le cerveau est programmé de façon que les émotions tiennent le haut du pavé. Voici comment les choses se passent : tout ce que nous voyons, sentons, entendons, goûtons et touchons – donc tout ce que nous ressentons – se propage dans notre corps sous forme de signaux électriques. Ceux-ci passent d'une cellule à l'autre jusqu'à ce qu'ils atteignent leur destination ultime, le cerveau. Ils entrent à la base du cerveau, près de la moelle épinière, puis ils doivent atteindre le lobe frontal (derrière le front), où la raison et la pensée logique ont leurs quartiers. L'ennui, c'est qu'ils doivent aussi passer à travers le système limbique, où les émotions sont produites. Voilà pourquoi ces dernières surgissent toujours avant les pensées rationnelles.

La portion rationnelle du cerveau (la partie frontale) ne peut stopper les émotions « ressenties » par le système limbique, mais ces deux sections du cerveau peuvent influer l'une sur l'autre et être en communication constante. La communication entre le cerveau émotionnel et le cerveau rationnel est la source physique de l'intelligence émotionnelle.

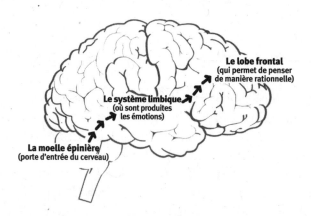

Le système limbique
(où sont produites
les émotions)

Le lobe frontal
(qui permet de penser
de manière rationnelle)

La moelle épinière
(porte d'entrée du cerveau)

La voie qu'emprunte l'intelligence émotionnelle commence dans le cerveau, au niveau de la moelle épinière. Les signaux des principaux sens entrent dans le cerveau à ce niveau et doivent se rendre jusqu'au lobe frontal, où il devient possible de se faire une idée rationnelle de la situation. Mais ils passent aussi à travers le système limbique, l'endroit où sont vécues les émotions. Il doit y avoir un système de communication efficace entre les centres rationnel et émotionnel du cerveau pour que l'intelligence émotionnelle fonctionne bien.

Au moment où le concept d'intelligence émotionnelle a été découvert, on l'a surtout utilisé comme « chaînon manquant » pour expliquer pourquoi les personnes ayant le quotient intellectuel (QI) le plus élevé ne surclassaient les individus au QI moyen que 20 % du temps, alors que les individus ayant un QI moyen surclassaient les personnes au QI élevé 70 % du temps. Cette « anomalie » portait un coup très dur à l'idée répandue selon laquelle le QI était un gage de réussite. Les scientifiques se sont donc dit qu'il devait exister une autre variable que le QI pour expliquer le succès d'un individu. Après des années de recherches et d'innombrables études, ils ont fini par mettre le doigt sur l'élément crucial qu'est le quotient émotionnel (QE).

> Les personnes ayant le quotient intellectuel (QI) le plus élevé ne surclassent les individus au QI moyen que 20 % du temps, alors que les individus ayant un QI moyen surclassent les personnes au QI élevé 70 % du temps.

Grâce au magazine *Time* et à nombre d'émissions télévisées, des millions de gens ont ainsi découvert le QE. Par la suite, ils ont voulu en apprendre davantage à ce sujet. Ils désiraient savoir qui avait un QE et comment il agissait. Mais surtout, ils cherchaient à savoir s'*ils* en avaient un. Des livres ont commencé à paraître sur la question, dont le nôtre, *Zoom sur l'intelligence émotionnelle*. Publié en 2004, il était unique puisque chaque exemplaire comportait un mot de passe permettant au lecteur d'effectuer en ligne le test le plus populaire du monde sur le QE, le Test d'intelligence émotionnelle. Le livre piquait la curiosité des lecteurs en leur faisant découvrir tous les détails du QE et en leur offrant, grâce au test, un moyen inédit de se voir sous un nouveau jour.

Le livre *Zoom sur l'intelligence émotionnelle* est instantanément devenu un succès de librairie ; il a été traduit en 23 langues et est encore vendu dans plus de 150 pays. Mais les temps ont changé. Le sujet de l'intelligence émotionnelle prend un nouveau virage : comment les gens peuvent-ils améliorer leur QE et faire des gains durables, qui auront des répercussions profondément favorables sur leur vie ? Avant la parution de *Zoom sur l'intelligence émotionnelle*, la possibilité de connaître son

QE était réservée à une poignée de privilégiés ; actuellement, seuls des cercles restreints ont la possibilité d'apprendre comment l'améliorer. Bien sûr, notre entreprise forme des centaines de personnes chaque semaine pour les aider à y parvenir ; cependant, même à ce rythme, il faudrait 3 840 années pour atteindre tous les adultes vivant aux États-Unis ! Nous nous sommes rendu compte que nous retenions involontairement d'importants renseignements. Nous croyons que tout le monde devrait avoir la possibilité de développer son QE. Voilà pourquoi nous avons rédigé ce livre.

Votre voyage

L'intelligence émotionnelle 2.0 a un seul objectif : vous aider à améliorer votre QE. Vous ne trouverez pas seulement dans ces pages de l'information sur ce dernier et sur vos résultats. Vous découvrirez des stratégies éprouvées que vous pourrez commencer à utiliser dès maintenant pour que votre QE grimpe à des niveaux encore jamais atteints. En apprenant à intégrer de nouvelles habiletés, vous récolterez tous les fruits que peut vous offrir l'intelligence émotionnelle.

Les 66 stratégies décrites dans ce livre sont le résultat de tests rigoureux effectués auprès de gens tels que vous. Elles expliquent en détail tout ce que vous devez dire, faire et penser pour améliorer votre QE. Cependant, pour profiter vraiment de ce qu'elles ont à vous offrir, vous devez savoir sur quels éléments concentrer votre attention. Pour ce faire, commencez par passer en ligne la nouvelle version du Test d'intelligence émotionnelle. En vous y prenant maintenant, vous aurez un outil de référence à partir duquel évaluer vos progrès à mesure que vous avancerez dans votre lecture et dans vos apprentissages. En évaluant votre QE, vous irez au-delà de l'exercice théorique ou de motivation : votre résultat vous dévoilera les habiletés que vous avez le plus besoin d'améliorer et il vous indiquera les stratégies précises qui vous aideront à y parvenir. Il s'agit donc d'une nouveauté dans ce livre : vous n'avez pas à choisir au hasard les stratégies qui amélioreront le plus votre QE.

L'importance d'une évaluation immédiate de votre QE peut se comparer à l'apprentissage de la valse avec un partenaire. Si je vous explique comment danser la valse, vous retiendrez certains éléments qui vous donneront peut-être le goût de vous y mettre. Mais, si vous pouvez vous exercer dès à présent avec votre partenaire pendant que je vous montre les différents pas, vos chances de vous en souvenir lorsque vous serez sur une piste de danse augmenteront de manière exponentielle. Le résultat du Test d'intelligence émotionnelle est « votre partenaire de danse » : il vous aidera à acquérir les habiletés nécessaires. Il vous rappellera quels pas effectuer au rythme de la musique.

Le rapport produit à la suite de votre test en ligne comporte un système par objectifs résumant les habiletés que vous devez travailler. Il vous fait aussi des rappels pour vous aider à maintenir votre détermination. Les activités d'apprentissage en ligne donnent vie à la notion de QE grâce à des vidéoclips tirés de films, d'émissions télévisées et d'événements réels. Vous verrez, en outre, comment vos résultats se comparent à ceux d'autres personnes, dont des groupes ayant les mêmes intérêts que vous. Vous découvrirez quel pourcentage de la population a obtenu un meilleur résultat que vous. Vous pouvez « demander » que le rapport produit compare vos résultats en fonction de différents facteurs, comme le sexe, l'âge, une région du monde, le type d'emploi, le titre du poste, etc. Ainsi, vous pouvez découvrir comment vous vous comparez à d'autres femmes dans la quarantaine qui occupent un poste de directrice du marketing en Amérique du Nord.

En plus d'obtenir les résultats les plus précis possible, en passant le Test d'intelligence émotionnelle, vous constaterez dans quelle mesure votre QE s'améliore avec le temps. Vous pouvez, en effet, passer le test deux fois : maintenant, puis lorsque vous aurez eu assez de temps pour adopter et mettre en pratique les stratégies décrites dans ce livre. La deuxième fois que vous vous soumettrez au test, le rapport mis à jour affichera vos nouveaux résultats parallèlement aux précédents, tout en vous indiquant les éléments que vous avez réussi à changer et les prochaines étapes à suivre pour que votre QE s'améliore davantage.

Pour passer le test en ligne, rendez-vous au www.talentsmart.com/test

On vous demandera de vous connecter en utilisant le code d'accès de 8 caractères que vous trouverez collé à la dernière page du livre.

Ce code d'accès est valide pour deux tests d'intelligence émotionnelle : un tout de suite, et un autre à faire plus tard, quand vous estimerez avoir accompli suffisamment de progrès. Après avoir effectué le premier test, sachez que vous pouvez accéder au site et consulter vos résultats en tout temps.

Vos émotions peuvent vous être bénéfiques ou néfastes, mais vous ne pouvez rien faire avant de les comprendre. Nous vous invitons à commencer votre voyage dès maintenant, car nous savons que *vous* pouvez maîtriser ce sujet.

Une vue d'ensemble

Avant d'examiner de près les quatre habiletés du QE décrites dans le prochain chapitre, vous devez apprendre quelques généralités importantes sur le QE. Au cours des 10 dernières années, nous avons fait passer des tests à plus de 500 000 personnes dans le but d'examiner le rôle que jouent les émotions dans le quotidien. Nous avons étudié la façon dont les gens se perçoivent par rapport à la façon dont les autres les perçoivent. Nous avons aussi observé la manière dont certains choix influencent la réussite personnelle et professionnelle.

Malgré l'intérêt croissant qu'on manifeste pour le QE, on a, en général, du mal à bien comprendre ses émotions et à savoir comment les gérer. Seulement 36 % des individus à qui nous avons fait passer des tests pouvaient les cerner précisément à mesure qu'elles se manifestaient. Par conséquent, les deux tiers des gens sont dominés par leurs émotions ; ils sont même incapables de les nommer et d'en tirer avantage. On n'apprend pas à l'école à devenir conscient de ses émotions et à les comprendre. Au moment d'arriver sur le marché du travail, on sait lire, écrire et rédiger des rapports mais, trop souvent, on ne maîtrise pas les habiletés nécessaires pour gérer ses émotions dans le feu de l'action, au moment où des problèmes se présentent. Pourtant, pour prendre de bonnes décisions, il faut plus que des connaissances factuelles. On doit bien se connaître et se maîtriser.

Étant donné toute la gamme d'émotions possibles, il n'est pas étonnant que celles-ci puissent triompher des gens ! Même s'il existe énormément de mots pour décrire ce qu'on ressent, en fait, toutes les émotions dérivent de cinq sentiments principaux : la joie, la tristesse, la colère, la peur et la honte. Que ce soit au travail, avec des amis ou avec sa famille, lorsqu'on mange, qu'on fait de l'exercice, qu'on se détend ou qu'on dort, on est constamment soumis à toutes sortes d'émotions. Il est donc assez facile d'oublier qu'on réagit à ce qui se passe dans la vie. La complexité des émotions se révèle par leur intensité, qui se manifeste de différentes façons.

L'intensité des émotions	Joie	La tristesse	La colère	La peur	Honte
Forte	Euphorique Excité Enchanté Ravi Exubérant Enthousiaste Emballé Passionné	Déprimé Angoissé Abandonné Blessé Rejeté Désespéré Affligé Misérable	Furieux Enragé Indigné Bouillant de colère Irrité Rongé (par la colère) Détestable Trahi	Terrifié Horrifié Effrayé Pétrifié Angoissé Paniqué Affolé Stupéfait	Affligé Plein de remords Discrédité Bon à rien Déshonoré Déconsidéré Mortifié Admonesté
Moyenne	Joyeux Enjoué Bien (se sentir) Soulagé Satisfait Rayonnant	Chagriné Malheureux Perdu Peiné Isolé Mélancolique	Contrarié Fâché Sur la défensive Frustré Agité Dégoûté	Craintif Apeuré Menacé Soucieux Troublé Intimidé	Contrit Indigne Sournois Coupable Embarrassé Sombre
Faible	Content Plaisant Amusé Tendre Gai Relax	Maussade De mauvaise humeur Triste Contrarié Déçu Insatisfait	Perturbé Ennuyé Tendu Hostile Mécontent Susceptible	Prudent Nerveux Inquiet Intimidé Incertain Soucieux	Timide Ridicule Malheureux Mal à l'aise Piteux

Les cinq émotions principales sont indiquées de gauche à droite dans le tableau. La manifestation de chacune en fonction de son intensité figure de haut en bas dans chaque colonne.

Adaptation de descriptions de Julia West et reproduction avec son autorisation.

Événements déclenchants et perte de contrôle des émotions

Au moment où Butch Connor redoutait l'attaque du requin blanc, il a été victime, à plusieurs reprises, d'un «détournement émotif»; autrement dit, il a perdu le contrôle de ses émotions et il s'est vu pris en otage par elles: elles gouvernaient son comportement, et il réagissait sans réfléchir. En règle générale, plus les émotions qu'on éprouve sont intenses, plus on risque de les voir dicter les gestes qu'on pose. Les questions de vie ou de mort (comme une attaque par un animal sauvage) déclenchent presque automatiquement une perte de contrôle temporaire des émotions.

C'est ce qui est arrivé à Butch en présence du requin; il est d'abord resté paralysé par la peur. Puis, il est parvenu à réfléchir et à se contrôler. Il s'est raisonné jusqu'à retrouver son calme, et il pu pagayer jusqu'à la rive. Ses pensées n'ont pas mis un terme à ses sentiments de peur et de terreur, mais elles l'ont aidé à faire en sorte que ses émotions ne l'empêchent pas d'agir.

Comme le cerveau est programmé pour faire des gens des créatures émotives, leur première réaction à un événement est toujours émotionnelle. On ne maîtrise aucunement cette partie du processus. Mais, dans la mesure où on est conscient de la manifestation d'une émotion, ont *peut* contrôler les pensées qui en découlent et la façon d'y réagir. Certaines expériences déclenchent des émotions qu'on reconnaît facilement; à d'autres occasions, les émotions qu'on éprouve ne sont pas apparentes. Un événement engendrant une réaction émotionnelle qui dure un certain temps est appelé «événement déclenchant». La façon de réagir à ce déclencheur dépend des expériences qu'on a vécues dans des situations similaires et des antécédents.

À mesure que votre QE s'améliorera, vous apprendrez à reconnaître les événements déclenchants et à prendre l'habitude d'y réagir de manière favorable.

Les principaux éléments qui forment une personne

L'intelligence émotionnelle se définit comme l'aptitude à reconnaître et à comprendre les émotions qu'on ressent et qui habitent les autres, et la capacité de se servir de cette information pour moduler son comportement et ses relations interpersonnelles. L'intelligence émotionnelle est ce petit quelque chose d'intangible qui existe en chacun. Elle influe sur la façon qu'on a de régir ses comportements, de naviguer dans les eaux complexes des relations sociales et de prendre des décisions personnelles qui donneront des résultats favorables.

L'intelligence émotionnelle exploite un élément fondamental du comportement humain, élément qui se distingue de l'intelligence. Il n'existe pas de liens connus entre le QE et le QI ; on ne peut prédire le premier à partir du second. La capacité cognitive, qui se traduit par le QI, est fixée dès la naissance. À moins que vous ne subissiez un traumatisme crânien, votre QI ne changera jamais. Vous ne deviendrez pas plus intelligent en acquérant de nouvelles connaissances. L'intelligence correspond à la *capacité* d'apprendre, et elle reste la même, qu'on ait 15 ans ou 50 ans. Quant au QE, il s'agit d'une habileté qui se développe. Certaines personnes ont naturellement une plus grande intelligence émotionnelle que d'autres, mais il est toujours possible d'accroître celle-ci.

La personnalité est la dernière pièce du casse-tête. Elle est le « style » qui caractérise l'individu. Elle résulte de « préférences », comme la tendance à être introverti ou extraverti. Cependant, à l'instar du QI, elle ne peut être utilisée pour prédire l'intelligence émotionnelle, et elle ne se modifie pas avec le temps. Les traits de personnalité apparaissent au début de la vie et restent inchangés. Les gens croient souvent que certains traits (par exemple, l'extraversion) sont associés à un QE élevé, mais les personnes qui apprécient la compagnie d'autrui n'ont pas une plus grande intelligence émotionnelle que celles qui préfèrent la solitude. Vous pouvez exploiter certains traits de votre personnalité pour vous aider à améliorer votre QE, mais celui-ci ne dépend pas de celle-là.

Le QI, le QE et la personnalité sont les meilleurs outils pour établir un portrait précis d'une personne. Lorsqu'on mesure ces trois éléments chez un individu, on constate qu'ils se chevauchent peu. En fait, chacun couvre un terrain particulier qui aide à expliquer ce qui motive la personne en question.

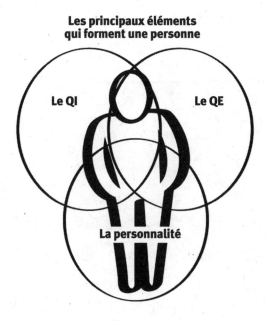

Les principaux éléments qui forment une personne

Le QI, la personnalité et le QE sont des éléments distinctifs que tous les humains possèdent. Ensemble, ils déterminent les façons de penser et d'agir. Il est impossible de prédire l'un en fonction des autres. Un être qu'on dit intelligent peut ne pas avoir d'intelligence émotionnelle, et des individus aux personnalités de toutes sortes peuvent avoir un QE ou un QI élevé. De ces trois éléments, seul le QE peut s'améliorer et changer.

L'impact du QE

Quel peut être l'effet de votre QE sur votre réussite professionnelle ? En bref : il peut être *énorme* ! Il s'agit d'un moyen remarquablement efficace d'orienter son énergie dans une seule direction.

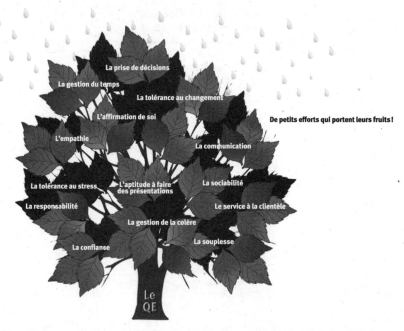

L'intelligence émotionnelle est le pivot d'habiletés cruciales. En faisant de petits efforts pour améliorer votre QE, vous noterez des effets favorables dans votre vie.

Après avoir testé le QE, ainsi que 33 autres compétences importantes sur le plan professionnel, nous avons constaté que le QE est compris dans la majorité d'entre elles, dont la gestion du temps, la prise de décisions et la communication. Il est le pivot sur lequel s'appuient nombre de compétences cruciales ; il influe sur presque tout ce que vous faites et dites chaque jour. L'intelligence

> **L'intelligence émotionnelle est tellement essentielle à la réussite qu'elle est responsable de 58 % de la performance, quel que soit le type d'emploi exercé.**

émotionnelle est tellement essentielle à la réussite qu'elle est responsable de 58 % de la performance, quel que soit le type d'emploi exercé. Il s'agit de l'indice de réussite professionnelle le plus important, et de l'élément qui influence le plus le leadership et l'excellence personnelle.

Toutefois, que votre QE soit faible ou élevé, il est possible de l'améliorer. En fait, même ceux qui obtiennent un résultat lamentable peuvent rattraper leurs collègues. Des études menées à l'école de gestion de l'Université de Queensland, en Australie, ont permis de découvrir que les personnes ayant une faible intelligence émotionnelle et un mauvais rendement au travail peuvent, juste en travaillant à améliorer leur QE, atteindre le niveau de leurs collègues qui excellent.

De tous les employés soumis à cette étude, nous avons découvert que 90 % de ceux qui ont un excellent rendement ont aussi un QE élevé. Inversement, seulement 20 % de ceux qui ont un mauvais rendement ont un QE élevé. Il y a donc peu de chances que votre productivité soit bonne sur le plan professionnel si votre QE est faible. Les personnes qui améliorent leur QE réussissent généralement au travail, puisque ces deux habiletés vont de pair. Naturellement, celles qui on un QE élevé gagnent plus d'argent – en moyenne 29 000 $ de plus par année que celles dont le QE est faible.

> **Le lien entre le QE et le salaire est tellement direct qu'on peut affirmer ceci : pour chaque point de QE en plus, on constate un gain de 1 300 $ en ce qui a trait au salaire annuel.**

Le lien entre le QE et le salaire est tellement direct qu'on peut affirmer ceci : pour chaque point de QE en plus, on constate un gain de 1 300 $ en ce qui a trait au salaire annuel. Ces résultats sont les mêmes dans toutes les industries, à tous les échelons et dans toutes les régions du monde. Nous n'avons pas encore réussi à trouver un type d'emploi où le salaire et le rendement n'étaient pas étroitement liés au QE.

Vous devez donc apprendre à maximiser vos habiletés en matière de QE, car c'est en alliant raison et sentiments que vous réussirez le mieux. Vous apprendrez dans les pages qui suivent comment y parvenir.

Les quatre habiletés liées à l'intelligence émotionnelle

Pour améliorer véritablement vos résultats relatifs aux quatre habiletés liées à l'intelligence émotionnelle, vous devez bien comprendre chacune de celles-ci et la façon dont elles agissent. Elles sont classées en deux catégories principales : les compétences personnelles et les compétences sociales.

> Pour améliorer véritablement vos résultats relatifs aux quatre habiletés liées à l'intelligence émotionnelle, vous devez bien comprendre chacune de celles-ci et la façon dont elles agissent.

Les compétences personnelles comprennent la conscience de soi et la maîtrise de soi ; comme leur nom l'indique, elles portent davantage sur le comportement individuel que sur la façon d'interagir avec les autres. Elles permettent de rester conscient de ses émotions tout en gérant son comportement. Quant aux compétences sociales, elles incluent la conscience sociale et la gestion des relations ; grâce à elles, on peut comprendre l'humeur, le comportement et les motivations des autres de façon à améliorer ses relations avec eux.

Les compétences personnelles	La conscience de soi	La maîtrise de soi
Les compétences sociales	La conscience sociale	La gestion des relations

Ces quatre habiletés forment l'intelligence émotionnelle. Les deux habiletés de la première ligne, la conscience de soi et la maîtrise de soi, vous concernent personnellement. Les deux habiletés figurant à la deuxième ligne, la conscience sociale et la gestion des relations, ont trait à votre façon d'agir avec les autres.

La conscience de soi

La conscience de soi se définit comme l'aptitude à percevoir ses propres émotions et à comprendre comment on se comporte dans différentes situations. Elle aide à dominer la façon habituelle qu'on a de réagir à des événements, à des problèmes et à des individus précis. Il est important de savoir de ce qu'on a tendance à faire afin d'arriver à comprendre rapidement ce qu'on ressent. Pour atteindre un degré élevé de conscience de soi, on doit être prêt à tolérer le malaise suscité par des émotions possiblement négatives.

Il n'y a qu'une façon de cerner véritablement ses émotions : en prenant le temps d'y réfléchir et de se demander d'où elles proviennent et pour quelles raisons elles se manifestent. Les émotions ont toujours une fonction. Elles naissent d'une réaction à ce qu'on vit, même si elles semblent souvent surgir comme par magie. Il est donc important de saisir pourquoi une chose fait réagir. Les personnes qui se prêtent à cet exercice réussissent à aller rapidement au cœur des choses. Les situations qui déclenchent des émotions intenses exigent une plus grande réflexion, et celle-ci empêche souvent de poser des gestes regrettables.

La conscience de soi ne sert pas à faire découvrir des secrets lourds et sombres ni des desseins inconscients ; elle oblige plutôt l'individu à discerner en toute franchise et en toute honnêteté ce qui le motive. Les personnes ayant une conscience de soi aiguë comprennent clairement ce qu'elles font de bien, ce qui les motive et les satisfait, et les gens ou les situations qui les irritent.

Étonnamment, il suffit de réfléchir à ce qu'est la conscience de soi pour améliorer cette habileté, même si, souvent, on ne parvient qu'à penser à ses « erreurs ». Quand on a une bonne conscience de soi, on n'a pas à craindre de se tromper sur le plan émotionnel ; en effet, grâce à ses erreurs et aux leçons qu'on en tire, on parvient à agir autrement par la suite.

La conscience de soi est une habileté essentielle ; une fois acquise, elle facilite l'utilisation des autres habiletés liées à l'intelligence émotionnelle. À mesure qu'elle s'accroît, la satisfaction face à la vie – qui se définit comme l'aptitude à atteindre ses objectifs personnels et professionnels – monte aussi en flèche. Sur le plan professionnel, 83 % des personnes qui ont une bonne conscience de soi ont une excellente performance ; inversement, seulement 2 % des individus qui n'ont pas de bon rendement au travail ont une bonne conscience de soi. Pourquoi ? Lorsque quelqu'un a une bonne conscience de soi, il réussit davantage à profiter des occasions qui s'offrent à lui, à exploiter ses forces et – sans doute est-ce le plus important – à faire en sorte que ses émotions ne l'empêchent pas d'avancer.

Guidé par la fausse idée que la psychologie ne porte que sur la maladie, on croit qu'il faut être en état de crise pour apprendre à mieux se connaître. Au contraire, la conscience de soi est une habileté toujours utile, car elle oblige à ne pas apprécier seulement les choses agréables et à ne pas porter des œillères lorsque des situations jugées déplaisantes surviennent. En fait, il faut avoir une vue d'ensemble. Plus on comprend ses qualités et ses défauts, plus on réussit à atteindre son plein potentiel. Voilà pourquoi la conscience de soi compte tellement.

Une bonne conscience de soi

David T., directeur des services régionaux

Note obtenue pour la conscience de soi : 95[1]

Commentaires de ses collègues :

« David a des objectifs à long terme clairs, et il ne les sacrifie pas au profit de gains à court terme. C'est un homme franc qui ne cherche pas à jouer au plus malin avec les autres. Je l'ai souvent constaté au moment de réunions et de rencontres avec des clients. »

« Le meilleur exemple que je puisse donner à propos de David, c'est son arrivée dans l'entreprise. Je suis certain qu'il désirait ardemment effectuer des changements dans l'équipe, mais il a pris le temps d'évaluer la situation, l'équipe et la clientèle avant de présenter ses suggestions ou d'imposer certains changements. »

« En résumé, David gère ses émotions : il ne se laisse pas mener par elles. Je l'ai vu accepter sans tiquer des nouvelles difficiles pour l'entreprise, puis aller de l'avant en faisant équipe avec son groupe pour trouver des solutions et améliorer la situation. »

---

[1] Les notes sont sur une échelle de 1 à 100 points. Elles sont tirées du Test d'intelligence émotionnelle. Les notes et les commentaires des collègues sont réels, bien que les noms et autres renseignements personnels aient été changés.

Une bonne conscience de soi

Marie M., directrice des ressources humaines

Note obtenue pour la conscience de soi : 90

Commentaires de ses collègues :

« Dans toutes les situations, bonnes ou mauvaises, où j'ai eu affaire à Marie, elle est restée calme et sereine, même si je sais qu'à certains moments elle aurait pu être frustrée ou en colère. Marie montre honnêtement ce qu'elle ressent sans s'énerver. Lorsqu'une situation difficile survient, elle sait être à la fois ferme et douce. »

« Marie est ouverte et authentique en tout temps, et cela compte beaucoup pour toutes les personnes avec qui elle interagit. Elle n'a pas besoin de changer, mais je l'inviterais à faire preuve de plus de fermeté dans certaines situations. Elle est consciente de cela et veille à ce que sa gentillesse ne lui nuise d'aucune façon. »

« Au moment de situations difficiles avec des employés, Marie est très consciente du ton qu'elle emploie ; elle fournit tous les efforts nécessaires pour que les propos restent courtois. Les gens lui font confiance. »

Une conscience de soi insuffisante

Tina J., directrice du marketing

Note obtenue pour la conscience de soi : 69

Commentaires de ses collègues :

« Tina projette parfois sur les autres son stress ou un certain sentiment d'urgence. Il serait bon qu'elle comprenne mieux que son comportement nuit au travail des autres et augmente leur stress émotionnel. Il lui arrive aussi d'être agressive ou sur la défensive. Elle devrait prendre davantage conscience du ton et du langage qu'elle emploie. »

« Lorsque tout va bien pour Tina, elle s'en tire en matière d'intelligence émotionnelle. Mais elle devrait apprendre à mieux se connaître et à déceler les événements qui déclenchent en elle des réactions émotionnelles ; elle pourrait alors réagir de façon plus appropriée lorsque ceux-ci se produisent. »

« Tina a besoin de prendre conscience de la façon dont les autres la perçoivent. Elle peut être très exigeante mais, à mon avis, elle ne veut pas mal faire. »

Une conscience de soi insuffisante

Gilles B., directeur opérationnel

Note obtenue pour la conscience de soi : 67

Commentaires de ses collègues :

« Gilles vit dans son monde. Il se soucie de ses collègues, mais il ne semble pas savoir où s'arrêter. Il est chaleureux, mais il ne sait pas quand il ennuie, frustre ou accable les autres. »

« Lorsqu'il est avec des clients, Gilles réussit très bien à expliquer nos produits et nos services. Pour ce qui est des projets de groupe, il lui arrive de se concentrer uniquement sur le résultat, sans tenir compte des étapes à suivre. Il devrait prendre le temps d'examiner toutes les options menant au résultat ciblé. Les choses iraient mieux. »

« Gilles est passionné par ce qu'il fait. Mais il se laisse parfois aveugler par sa passion. Il lui arrive d'entrer dans mon bureau et de se mettre à me parler sans remarquer que je suis occupé. Lorsqu'il est énervé, il se met à discuter sans laisser les autres placer un mot. Il ne veut pas mal faire ; c'est sa façon d'exprimer sa passion. »

La maîtrise de soi

La maîtrise de soi, la deuxième habileté liée à l'intelligence émotionnelle, est ce qui nous fait agir ou ne pas agir. Elle est aussi en lien avec la conscience de soi. La maîtrise de soi se définit comme l'aptitude à prendre conscience de ses émotions afin de demeurer ouvert et de donner une orientation favorable à son comportement. Pour y parvenir, on doit apprendre à gérer ses réactions émotionnelles en fonction des situations et des individus. Certaines émotions peuvent déclencher une peur qui paralyse et obnubile le raisonnement, de sorte qu'on n'arrive pas à trouver la meilleure façon d'agir. Dans certains cas, la maîtrise de soi se révèle par la capacité à tolérer l'incertitude pendant qu'on évalue ses émotions et les options possibles. Une fois qu'on a compris et accepté ce qu'on ressent, la meilleure façon d'agir devient évidente.

Par ailleurs, la maîtrise de soi ne se limite pas à la capacité de résister à un comportement explosif ou discutable. Il est facile d'apprendre à se dominer dans des situations simples et ponctuelles, comme «je suis en colère contre ce damné chien». Le plus grand défi en matière de maîtrise de soi? Apprendre à contrôler ses comportements et à exploiter ses compétences, quelles que soient les circonstances. Pour y parvenir, on doit laisser de côté ses besoins passagers, et penser plutôt à des objectifs plus louables et importants. Mais la réalisation de tels objectifs prend souvent du temps, ce qui met à l'épreuve la capacité à se contenir. Les personnes qui ont la meilleure maîtrise de soi sont capables de voir plus loin que le bout de leur nez. Celles qui parviennent à laisser de côté leurs besoins et à contrôler leurs comportements peuvent espérer réussir.

> Pour y parvenir, on doit laisser de côté ses besoins passagers, et penser plutôt à des objectifs plus louables et importants.

Une bonne maîtrise de soi

Danielle L., gestionnaire, services de santé

Note obtenue pour la maîtrise de soi : 93

Commentaires de ses collègues :

« Danielle est la patience et la compréhension incarnées durant les réunions houleuses, où les émotions sont palpables. Elle encourage les personnes qui l'entourent à participer aux discussions. Elle les écoute attentivement et répond intelligemment à leurs questions. »

« J'ai vu de près comment elle agit dans les situations difficiles (comme le licenciement d'un employé). Elle s'y prend avec délicatesse tout en allant droit au but. Elle écoute patiemment et a une conduite irréprochable. »

« Danielle est formidable dans les entretiens particuliers. Elle sait communiquer et elle agit promptement. Elle a une excellente façon de réagir en situation de crise. Sa capacité de faire la différence entre émotions et logique fait d'elle une excellente gestionnaire. J'aimerais qu'il y ait plus de gens comme elle. »

Une bonne maîtrise de soi

Xavier M., programmeur

Note obtenue pour la maîtrise de soi : 91

Commentaires de ses collègues :

« Xavier gère très bien les situations stressantes et conflictuelles. Il garde toujours son sang-froid, même quand les chefs de projet sont sur son dos. Cela lui assure une grande crédibilité auprès d'eux. Il est aussi capable de collaborer avec d'autres même s'il n'admire pas leur façon de travailler. Il ne perd jamais patience. »

« J'ai vu agir Xavier dans une situation extrêmement frustrante, alors qu'il ne pouvait pas faire avancer un projet, parce que d'autres personnes n'avaient pas accompli leur travail. Il a été très poli et professionnel. Il leur a réexpliqué la procédure même s'il était contrarié. »

« Je n'ai jamais entendu Xavier dire du mal d'une personne ayant une idée ou une opinion différente de la sienne. Beaucoup de gens parlent dans le dos des autres ici, mais Xavier ne s'abaisse jamais à faire cela. »

Une maîtrise de soi insuffisante

Jason L., consultant en technologies de l'information

Note obtenue pour la maîtrise de soi : 59

Commentaires de ses collègues :

« Dans des situations stressantes ou lorsque les choses vont mal, Jason réagit parfois trop promptement ou trop vivement. J'aimerais qu'il prenne le temps de se calmer avant de d'intervenir. Il est vraiment émotif. Lorsqu'il communique avec ses collègues, certains en viennent à ignorer ce qu'il dit. Jason ne veut pas mal faire, mais ses réactions de panique nuisent à ses relations avec ses collègues. »

« Jason devrait être plus conscient de ses emportements, et de leur effet sur ses collègues et sur les clients. Il n'est pas mesquin et il se préoccupe beaucoup des autres, mais il devrait réfléchir un peu avant de lancer des répliques désagréables. Cela lui arrive surtout lorsqu'il est stressé. Il ne devrait pas se mettre dans un tel état. »

« Jason laisse ses émotions dominer son comportement. Il lui arrive d'agir ou de parler trop promptement. J'aimerais qu'il soit un peu plus patient et qu'il donne une chance au coureur avant de réagir. Souvent, la situation n'entraîne pas vraiment de problèmes et n'est pas aussi urgente qu'il le pense ; il se met quand même à grimper aux rideaux. »

Une maîtrise de soi insuffisante

Émilie S., directrice régionale des ventes
Note obtenue pour la maîtrise de soi : 61

Commentaires de ses collègues :

« Émilie ne devrait pas être *aussi* franche. Ses employés n'ont pas besoin de savoir toutes les conneries qui se passent dans l'entreprise. Si certaines choses la dérangent, Émilie devrait apprendre à les garder pour elle. Lorsqu'elle est mécontente, cela se répercute sur notre équipe. Émilie a tendance à laisser paraître sa tension dans certaines situations ; or, en tant que chef d'équipe, cela stresse les autres et leur fait voir les choses négativement. »

« Émilie a de la difficulté à louanger les membres de son équipe pour leurs réalisations ; nous avons l'impression qu'elle est jalouse. Je me sens en compétition avec elle, alors qu'elle devrait plutôt vouloir me voir réussir. Je pense qu'elle est très professionnelle avec les clients ; elle les traite bien. Elle devrait agir de la même façon avec ses employés. »

« Émilie devrait adopter une stratégie proactive plutôt que réactionnelle. En situation de crise, elle ne devrait pas montrer à quel point elle est stressée. Elle veut tellement réussir qu'elle s'en met peut-être trop sur les épaules. La gestion de l'équipe de la côte ouest est une tâche exigeante, mais Émilie devrait apprendre à contrôler ses émotions lorsque des employés parlent librement de leurs problèmes pendant les réunions. »

La conscience sociale

La conscience sociale, une des deux composantes des compétences sociales, est une habileté essentielle. Elle se définit comme l'aptitude à reconnaître rapidement les émotions des autres et à bien les comprendre. Elle aide à décoder ce qu'ils ressentent et ce qu'ils pensent même si leurs sentiments et leurs points de vue diffèrent de ceux qu'on a. Il est facile d'être absorbé par ses propres émotions et d'oublier de tenir compte de la perspective des autres. La conscience sociale incite à se concentrer en vue de saisir des informations cruciales.

L'écoute et le sens de l'observation sont les deux qualités principales nécessaires pour comprendre les autres. Mais, pour bien écouter et observer ce qui se passe autour de soi, on doit prendre le temps de s'arrêter. On doit cesser de parler, d'être distrait, de penser au prochain point que son interlocuteur va aborder et à ce qu'on lui répondra. Il faut beaucoup de pratique pour *écouter* véritablement une personne, et bien cerner ce qu'elle ressent et ce qu'elle pense. Il faut parfois s'y prendre comme un anthropologue. Ce dernier gagne sa vie en étudiant les autres dans leur état naturel sans laisser ses propres idées ou ses sentiments nuire à ses observations. Il s'agit de la forme la plus pure de conscience sociale. Mais, à la différence des anthropologues, qui observent les choses de loin, on doit, pour bien comprendre les autres, capter et saisir leurs sentiments sur-le-champ, au moment où on interagit avec eux.

Une bonne conscience sociale

**Antoine J., directeur des ventes
en produits pharmaceutiques**

Note obtenue pour la conscience sociale : 96

Commentaires de ses collègues :

« Antoine possède une véritable talent : celui d'être capable de saisir les émotions des autres. Il sait s'adapter à différentes situations et entretenir de bonnes relations avec à peu près tout le monde, par exemple au cours de réunions, de dîners d'affaires et de rencontres avec des représentants. »

« Antoine fait de l'excellent travail au moment de gérer les frustrations manifestées par les représentants à l'égard des autres services de notre entreprise. Il s'occupe bien de ses représentants ; il est capable de se mettre à leur place et de se demander ce qui ne va pas. Les gens lui sont très dévoués. »

« Antoine cerne facilement les émotions. Il sait aller chercher le maximum de son équipe. Il a formidablement bien réussi à forger des relations avec les chirurgiens pendant un dîner d'affaires que nous avons eu, parce qu'il savait comment mener la conversation sans leur donner l'impression de les contrôler. »

Une bonne conscience sociale

Monique S., directrice du développement organisationnel

Note obtenue pour la conscience sociale : 92

Commentaires de ses collègues :

« Monique réussit très bien à comprendre ce que les autres ressentent lorsqu'elle doit leur faire part de nouvelles pénibles. Elle adapte alors son style de communication de façon à favoriser l'atteinte d'une solution. Elle connaît les gens personnellement, ce qui l'aide à mieux travailler avec eux et à comprendre leurs points de vue. »

« Monique est formidable au moment des réunions avec la haute direction. Elle sait écouter les autres avec respect avant d'exprimer sa propre opinion. Elle cherche véritablement à les comprendre, et elle est capable de leur présenter des commentaires pertinents et adaptés à ce qu'ils viennent de dire ou de faire. C'est une excellente chef d'équipe qui sait renforcer les liens entre les membres de son groupe. »

« Je ne connais personne d'autre qui a une aussi bonne écoute active que Monique. Elle sait mettre ses commentaires en contexte dans le but de bien se faire comprendre. Elle fait preuve de respect à l'égard des autres tout en réussissant à exercer son autorité. Elle les motive et les inspire tout en les mettant à l'aise. »

Une conscience sociale insuffisante

Claude C., avocat

Note obtenue pour la conscience sociale : 55

Commentaires de ses collègues :

« Claude doit apprendre à donner aux autres l'impression qu'ils ont de bonnes idées, même si son plan est meilleur. Il devrait aussi faire preuve de plus de patience et considérer leurs plans comme aussi efficaces que les siens, même s'ils sont différents. J'aimerais qu'il comprenne mieux ce que les autres ressentent et pensent *avant* d'exprimer son opinion et d'offrir des solutions. »

« Claude devrait écouter les autres davantage. Il devrait prêter attention à leurs paroles au lieu de se concentrer sur ce qu'il se prépare à dire. Son langage corporel trahit le fait qu'il n'écoute pas, ce qui déplaît aux gens. J'aimerais aussi qu'il soit plus précis lorsqu'il présente les idées des autres. »

« Claude n'est pas du genre à aimer socialiser. Il est tellement concentré sur son travail qu'il ne s'intéresse pas aux autres. Lorsqu'il a de nouvelles idées (ou des idées qui proviennent du cabinet où il travaillait avant), il a de la difficulté à les expliquer et à les faire accepter par le personnel. Il devrait apprendre à écouter les autres de ses deux oreilles et avec son cœur. Il a de la difficulté à accepter leurs points de vue ou à tenir compte de leurs idées au moment de prendre des décisions. »

Une conscience sociale insuffisante

Rachel M., gestionnaire de projet

Note obtenue pour la conscience sociale : 62

Commentaires de ses collègues :

« Au cours des réunions, les aspects non techniques échappent à Rachel. Elle ne se rend compte ni de l'état d'esprit qui règne ni des changements d'opinions. Elle devrait apprendre à capter le côté humain. »

« Rachel réussit fort bien à se concentrer sur un problème, mais sans voir l'ensemble de la situation. Cela peut être assez frustrant pour les gens qui l'entourent. Elle n'est pas consciente de leurs réactions. Avant de s'empêtrer dans les détails d'un projet, elle devrait vérifier ce que les autres pensent. Il lui serait plus utile de concevoir un projet dans son ensemble plutôt que d'examiner immédiatement tous les détails avec les membres de l'équipe. »

« Au cours des réunions et des entretiens particuliers, Rachel est parfois tellement absorbée dans ses pensées qu'elle ne prête pas vraiment attention à la conversation. Cela la rend moins efficace, puisqu'elle ne participe pas activement à l'échange et qu'elle rate ainsi l'occasion d'influencer la direction que celui-ci prendra. Elle devrait apprendre à considérer les choses du point de vue des autres afin de mieux les comprendre. Elle devrait aussi être plus concise et plus précise. Les gens perdent leur intérêt, et leurs idées s'embrouillent lorsque les explications sont longues ou lorsque le message n'est pas clair. »

La gestion des relations

La gestion des relations, qui est la deuxième composante des compétences sociales, met aussi à profit les trois autres habiletés liées à l'intelligence émotionnelle, soit la conscience de soi, la maîtrise de soi et la conscience sociale. Elle se définit comme l'aptitude à utiliser la conscience qu'on a de ses émotions et de celles des autres afin de gérer efficacement les interactions qu'on a avec eux. Cette habileté favorise une communication claire et une résolution efficace des différends. Elle est aussi associée aux liens qu'on forme peu à peu avec les autres. Par ailleurs, les personnes qui gèrent bien leurs relations comprennent l'avantage d'entretenir des rapports avec toutes sortes d'individus, y compris ceux avec qui elles n'ont pas d'affinités particulières. Il est important de cultiver et de nourrir des liens solides ; ils sont la preuve qu'on peut comprendre les autres, bien les traiter et partager de bons moments.

Il y a une différence entre une interaction ponctuelle avec un individu et une relation bâtie au fil du temps. Plus les liens entretenus avec quelqu'un d'autre sont faibles, moins il est facile de lui faire comprendre le point de vue qu'on a. La qualité d'une relation dépend donc de la qualité et de la profondeur des échanges, et du temps passé avec la personne en question. Pour que les gens écoutent ce qu'on exprime, on doit s'exercer à bien gérer toutes ses relations, surtout dans les situations difficiles.

En période de stress, la gestion des relations pose un grand défi à la majorité des gens. Étant donné que plus de 70 % de ceux qui ont passé nos tests avaient du mal à gérer leur stress, on peut facilement comprendre pourquoi il est difficile de bâtir des relations de qualité. C'est souvent au travail qu'on vit les situations les plus stressantes. Les conflits professionnels ont tendance à couver lorsque les gens évitent passivement les problèmes tout simplement parce qu'ils n'ont pas les habiletés nécessaires pour engager des conversations franches et directes, mais constructives. En revanche, les conflits au travail peuvent exploser lorsque les personnes ne dominent ni leur colère ni leur frustration, et qu'elles choisissent de se défouler sur leurs collègues. La gestion des relations permet d'éviter ce genre de scénario et de mettre à profit chacune des interactions avec autrui.

Une bonne gestion des relations

Gisèle C., directrice des services financiers

Note obtenue pour la gestion des relations : 95

Commentaires de ses collègues :

« Gisèle possède l'aptitude innée de comprendre les autres et leurs émotions ; elle se sert de ce qu'elle apprend pour créer une tribune invitante, où différents points de vue sont échangés. Sa porte est toujours ouverte lorsque j'ai besoin d'elle, et elle s'organise pour être agréable et professionnelle même si elle est surchargée de travail. Les gens savent qu'ils peuvent compter sur elle ; ils savent qu'elle respectera et gardera pour elle les confidences qu'ils lui font. »

« Gisèle est très sensible aux autres, et elle essaie toujours d'améliorer la situation. Lorsqu'une personne est contrariée, Gisèle lui pose juste assez de questions pour saisir la situation, puis elle lui offre des conseils concrets et utiles, qui lui permettent de se sentir bien mieux. Gisèle aide ses employés à se sentir intelligents et confiants, même s'ils ont commis une erreur. Elle les aide à s'améliorer, et elle donne l'exemple pour que les gens se sentent sûrs d'eux. »

« Même au cours de conversations difficiles, Gisèle fait en sorte de maintenir de bonnes relations avec toutes les personnes en cause. Elle s'intéresse au point de vue des autres et elle leur pose des questions à ce sujet durant les réunions, même si elle ne partage pas leur avis. Elle domine ses émotions et fait preuve d'une grande empathie lorsqu'elle nous parle, ce qui nous donne vraiment l'impression qu'elle nous comprend. »

Une bonne gestion des relations

André, B., médecin

Note obtenue pour la gestion des relations : 93

Commentaires de ses collègues :

« André est extrêmement patient, et il écoute avec empathie ; c'est pourquoi ses patients l'adorent. Il essaie de ne pas juger les autres et de leur laisser le bénéfice du doute. Il agit aussi de cette façon avec les infirmières et les techniciens. Je l'ai déjà vu clarifier des questions très difficiles que lui posaient les familles de ses patients ; il savait garder son calme et leur répondre sans les rabaisser. Il écoute attentivement ce que les autres ont à dire et ne se montre jamais contrarié ni ennuyé par leurs propos. Il leur répond gentiment, mais avec autorité. »

« André a d'excellentes habiletés relationnelles. Dans certaines situations, même quand les résultats lui déplaisent royalement, il exprime toujours son opinion avec tact, en faisant part de ses attentes sans se mettre en colère. Je le décrirais comme un homme direct, mais qui ne perd par le contrôle de soi et qui ne cherche pas la confrontation. Il félicite aussi les employés pour leurs efforts et leurs réussites. Il sait tracer un portrait général de la situation, puis conseiller les autres avec empathie. »

« André sait quand se montrer sensible, et quand encourager et féliciter les autres. Il connaît très bien ses collègues, ce qui lui permet de gérer les différends avec calme et de manière appropriée. On apprécie le fait qu'il recherche les commentaires des autres avant de tirer ses conclusions. Il essaie toujours de trouver la meilleure façon de communiquer avec les autres, même dans un climat de résistance, de confusion ou de franche hostilité. Il se montre remarquablement empathique à l'égard les autres, et il bâtit des relations solides et favorables. »

Une gestion des relations insuffisante

Denis M., directeur des ventes

Note obtenue pour la gestion des relations : 66

Commentaires de ses collègues :

« Denis montre parfois qu'il ne vaut pas la peine de bâtir une relation avec certaines personnes. J'aimerais qu'il soit capable de prendre le temps de fournir les ressources nécessaires pour assurer le succès de notre groupe. S'il a l'impression qu'un collègue de travail n'est pas un de ses alliés et qu'il ne peut pas lui accorder sa confiance, il le dit très clairement. Cela nuit à l'esprit d'équipe. Denis est habituellement gentil avec les gens qu'il connaît bien et qu'il ne juge pas menaçants pour lui. S'il veut monter dans la hiérarchie, il devra se comporter autrement. »

« Denis peut être très enthousiaste lorsqu'il rencontre de nouvelles personnes, et c'est très bien, mais certains employés ne réagissent pas favorablement à cet excès d'enthousiasme. Cela les éloigne de lui et les empêche de créer des liens avec lui. J'aimerais que Denis travaille à fortifier les liens entre les membres de son équipe et qu'il dissipe l'impression qu'il tient seulement compte de ses idées au moment de prendre certaines décisions. Trop souvent, nous avons l'impression qu'il met nos suggestions de côté, même si elles sont pleines de bon sens. »

« Denis réagit aux gens de manière négative, et non de manière positive. Il est bon d'avoir des opinions fermes, mais pas d'écarter les idées des autres. Denis devrait aussi adapter son style de communication à la personne qui lui fait face. Son approche est presque toujours directe, ce que certains trouvent difficile. »

Une gestion des relations insuffisante

Nathalie T., chef de rayon

Note obtenue pour la gestion des relations : 69

Commentaires de ses collègues :

« Nathalie minimise souvent l'importance du point de vue ou de l'expérience des autres. Si ça va mal, elle se justifie toujours en disant que les choses pourraient être pires, qu'on ne la comprend pas ou qu'on devrait laisser faire. Elle est brusque et elle manque d'empathie, surtout avec ses subalternes. J'aimerais qu'elle soit plus franche avec les autres et qu'elle leur témoigne une certaine appréciation. »

« Nathalie devrait cesser de trouver des excuses à tous les problèmes. C'est fatigant et démotivant. Elle devrait apprendre à reconnaître les réalisations des autres. On considère qu'elle est dure, qu'il est difficile de travailler pour elle et de l'approcher. Elle obtient peut-être de bons résultats, mais c'est aux dépens des autres. »

« Si Nathalie n'a rien de constructif à dire, j'aimerais qu'elle cesse de se contenter de juger négativement son équipe et les autres employés. Si elle leur expliquait comment s'y prendre différemment, ils s'amélioreraient ; ses remarques désobligeantes ont l'effet contraire, tout comme son besoin de dénigrer les gens. Ceux-ci ne font plus grand cas de ses interventions et les considèrent parfois seulement comme sa façon de montrer qu'elle est la patronne. »

4

Un plan d'action
pour améliorer votre QE

L'information se meut entre les centres rationnel et émotionnel du cerveau, comme une automobile se déplace dans les rues d'une ville. En mettant en application les habiletés liées à l'intelligence émotionnelle, on favorise une bonne circulation entre ces deux centres. Plus la circulation est grande, plus les connexions d'un centre à l'autre se renforcent, ce qui influence favorablement le QE. En outre, plus on réfléchit à ce qu'on ressent et plus on gère bien ses sentiments, plus la circulation devient fluide. Bien sûr, certains peuvent peiner sur une petite « route de campagne », alors que d'autres avancent rapidement sur « l'autoroute » qu'ils ont construite. Cependant, quel que soit le chemin qu'on emprunte, il y a toujours de la place pour de nouvelles voies de circulation.

La « plasticité » est le terme qu'utilisent les neurologues pour décrire la capacité du système nerveux à se modifier et à s'adapter. Le cerveau développe de nouvelles connexions, tout comme les biceps se mettent à grossir si on s'exerce à lever des poids plusieurs fois par semaine. Même si le changement n'est que graduel, il devient de plus en plus facile de soulever les poids. Bien sûr, le cerveau ne peut pas grossir comme les biceps, puisqu'il est emprisonné dans la boîte crânienne ; à la place, il forme de nouvelles connexions, qui rendent son fonctionnement plus efficace.

À mesure que vous appliquerez les stratégies des prochains chapitres pour améliorer votre QE, des milliards de neurones microscopiques cheminant entre les centres rationnel et émotionnel de votre cerveau se relieront à de minuscules « branches » de façon à atteindre d'autres cellules. Une seule cellule peut former 15 000 connexions avec ses voisines. Cette réaction en chaîne renforcera votre capacité de réflexion, responsable de votre comportement. En prime, il vous sera de plus en plus facile d'y faire appel à l'avenir.

> Une seule cellule peut former 15 000 connexions avec ses voisines. Cette réaction en chaîne renforcera votre capacité de réflexion, responsable de votre comportement ; en prime, il vous sera de plus en plus facile d'y faire appel à l'avenir.

Vous devrez pratiquer sans relâche les stratégies proposées pour qu'elles deviennent naturelles. Il vous faudra peut-être fournir d'immenses efforts avant de réussir à intégrer de nouveaux comportements ; par la suite, cependant, ceux-ci deviendront habituels. Par exemple, si vous avez tendance à crier lorsque vous êtes en colère, vous devez apprendre à adopter une nouvelle façon de réagir. Vous devez souvent vous exercer à manifester cette dernière avant de parvenir à mettre fin à votre besoin de crier. Au début, il vous sera très difficile de ne pas vous emporter lorsque vous serez irrité. Mais, chaque fois que vous y parviendrez, les nouvelles connexions entre vos neurones seront renforcées. Votre besoin de hurler finira par disparaître. Des études ont démontré un changement durable dans le QE plus de six ans après que de nouvelles habiletés ont été acquises.

Le plan d'action qui suit vous aidera à coordonner vos efforts plus efficacement à mesure que vous explorerez et que vous appliquerez les stratégies proposées dans les prochains chapitres. Suivez les étapes suivantes pour bâtir votre plan d'action visant à améliorer votre QE.

1. Dans la première partie (« Le début de mon voyage ») du plan d'action pour améliorer son QE, à la page 54, inscrivez vos résultats au Test d'intelligence émotionnelle (voir page 20 pour les instructions). N'hésitez pas à les indiquer directement sur la page du livre.

2. Choisissez une habileté en matière de QE. L'esprit humain ne peut bien se concentrer que sur une habileté à la fois. Même les personnes les plus ambitieuses comprendront qu'elles iront pas mal plus loin si

elles travaillent de manière systématique une seule habileté ; les autres habiletés se développeront parallèlement. Vous pouvez choisir celle sur laquelle le rapport du Test d'intelligence émotionnelle vous recommande de concentrer vos efforts. Vous pouvez aussi opter pour une autre, mais nous vous exhortons à ne pas commencer par la gestion des relations si vous avez obtenu une note inférieure à 75 dans les quatre habiletés.

3. Optez pour trois stratégies liées à l'habileté que vous avez sélectionnée. Le rapport du Test d'intelligence émotionnelle vous recommande des stratégies précises en fonction de l'analyse de vos résultats. Vous pouvez effectuer votre choix parmi ces recommandations ou utiliser d'autres stratégies décrites dans le chapitre consacré à ce sujet.

4. Choisissez un mentor. Trouvez une personne douée pour l'habileté sélectionnée par vous, et demandez-lui si elle est prête à vous donner des conseils et à vous faire des commentaires à des intervalles réguliers au cours de votre « voyage ». Fixez différents moments où vous pourrez vous rencontrer, et inscrivez le nom de cette personne dans votre plan d'action.

5. Gardez à l'esprit les points suivants lorsque vous appliquez les stratégies choisies :

- Espérez la réussite et non la perfection. En matière de QE, vous devez sans cesse continuer de vous améliorer.

- Exercez-vous sans relâche. C'est par la pratique que vous améliorerez vos habiletés liées à l'intelligence émotionnelle. Appliquez le plus souvent possible les stratégies choisies, et ce, dans toutes sortes de situations et avec différentes personnes.

- Faites preuve de patience. Il vous faudra quelques mois avant de vous rendre compte que vous avez amélioré votre QE. La plupart des gens constatent des changements mesurables et durables de trois à six mois après le début de leurs efforts.

6. Mesurez vos progrès. Une fois que vous aurez fait des progrès suffi-
sants relativement à la première habileté sélectionnée, allez en ligne
et refaites le Test d'intelligence émotionnelle. Remplissez ensuite la
deuxième partie du plan d'action.

Mon plan d'action pour améliorer mon QE

Première partie – Le début de mon voyage

Date : _____

Pour chacune des habiletés suivantes, inscrivez vos résultats au Test
d'intelligence émotionnelle.

Note

QE global : _____

Conscience de soi : _____

Maîtrise de soi : _____

Conscience sociale : _____

Gestion des relations : _____

Choisissez une habileté et trois stratégies

Laquelle des quatre habiletés principales liées à l'intelligence émotionnelle choisirez-vous en premier? Encerclez votre choix dans le
schéma ci-dessous.

Conscience de soi	Maîtrise de soi
Conscience sociale	Gestion des relations

Après avoir passé en revue les stratégies liées à l'habileté sélectionnée, énumérez les trois stratégies que vous avez choisies.

1. _____

2. _____

3. _____

Votre mentor

Parmi vos connaissances, qui a l'habileté sélectionnée pour être prêt
à vous fournir des conseils et des commentaires tout au long de votre
voyage ?

Le nom de votre mentor : _____

Deuxième partie – La destination atteinte

Date : _____

Après avoir refait le Test d'intelligence émotionnelle, inscrivez ci-dessous
vos premiers et vos deuxièmes résultats.

	Premiers résultats	Deuxièmes résultats	(+/-) Changement
QE global :	_____	_____	_____
Conscience de soi :	_____	_____	_____
Maîtrise de soi :	_____	_____	_____
Conscience sociale :	_____	_____	_____
Gestion des relations :	_____	_____	_____

Choisissez une nouvelle habileté et trois autres stratégies

À partir des résultats expliqués dans le rapport du Test d'intelligence émotionnelle, à quelle habileté consacrerez-vous vos efforts pour continuer de vous améliorer ? Optez pour une nouvelle habileté et encerclez votre choix dans le schéma ci-dessous.

Conscience de soi	Maîtrise de soi
Conscience sociale	Gestion des relations

Après avoir passé en revue les stratégies liées à l'habileté sélectionnée, énumérez les trois stratégies que vous avez choisies.

1. _____

2. _____

3. _____

Votre nouveau mentor

Parmi vos connaissances, qui a l'habileté sélectionnée pour vous fournir des conseils et des commentaires tout au long de votre voyage ?

Le nom de votre nouveau mentor : _____

Les stratégies pour développer la conscience de soi

Pour être capable de prendre conscience de soi, il faut se voir tel qu'on est vraiment. Au départ, la conscience de soi peut avoir l'air d'un concept plutôt flou ; il ne s'agit aucunement d'une course au bout de laquelle on reçoit une médaille avec la mention « conscient de soi ». Il ne suffit pas non plus de savoir si on préfère les oranges aux pommes ni de dire qu'on est un lève-tôt plutôt qu'un couche-tard. Il faut plutôt développer une connaissance approfondie de soi ; or, on n'apprend à se connaître à fond qu'au cours d'un long voyage où on gratte tout le vernis pour aller au cœur, à l'essence de soi.

Les réactions émotionnelles sont programmées pour survenir avant toute autre réaction. Il est impossible de ne pas tenir compte de ses émotions ; il faut donc en prendre conscience – qu'elles soient positives ou négatives – avant de pouvoir gérer ses réactions et ses relations avec les autres.

Si on ne prend pas le temps de remarquer et de comprendre ses émotions, elles peuvent surgir au moment où on s'y attend le moins ou lorsqu'on ne le désire absolument pas. C'est leur façon d'attirer l'attention sur quelque chose d'important, et ce, au risque de voir leurs effets néfastes s'accentuer tant qu'on n'en tient pas compte.

Il peut être troublant de voir en face la personne qu'on est réellement. Il faut de l'honnêteté et du courage pour être à l'écoute de ses émotions. Soyez donc patient, et attribuez-vous tout le mérite du moindre pas vers l'avant. Lorsque vous commencez à vous arrêter à des aspects de vous que vous ne remarquiez pas auparavant (et que vous n'aimez pas nécessairement), vous progressez.

Le reste du chapitre décrit 15 stratégies originales conçues pour vous aider à maximiser votre conscience de soi et à apporter des changements favorables dans votre vie. Elles sont claires et précises, et elles comportent toutes sortes d'idées et d'exemples qui vous amèneront à améliorer votre conscience de soi.

Liste des stratégies

1. Cessez de considérer vos émotions comme simplement bonnes ou mauvaises

2. Observez l'effet d'entraînement de vos émotions

3. Surmontez votre malaise

4. Ressentez physiquement vos émotions

5. Identifiez les personnes et les situations qui vous irritent

6. Gardez un œil objectif

7. Tenez un journal de vos émotions

8. Ne vous laissez pas duper par votre mauvaise humeur

9. Ne vous laissez pas duper par votre bonne humeur

10. Prenez le temps de vous demander *pourquoi* vous agissez comme vous le faites

11. Examinez vos valeurs

12. Surveillez votre apparence

13. Servez-vous de livres, de films et de musique pour cerner vos émotions

14. Ouvrez-vous aux commentaires des autres

15. Apprenez à vous connaître même en situation de stress

1 Cessez de considérer vos émotions comme simplement bonnes ou mauvaises

Il est tout à fait humain de vouloir diviser ses émotions en deux catégories : les bonnes et les mauvaises. Par exemple, la plupart des gens classent automatiquement le sentiment de culpabilité dans la colonne des *mauvaises* émotions. On n'aime pas se sentir coupable et on fait tout son possible pour se débarrasser de ce sentiment. De la même façon, on a tendance à se laisser emballer par les *bonnes* émotions, comme l'enthousiasme. Elles stimulent et donnent de l'énergie.

Cependant, en jugeant ses émotions et en leur accolant des étiquettes, on s'empêche de comprendre véritablement ce qu'on ressent. Au contraire, lorsqu'on s'accorde le temps de s'y intéresser et d'en prendre totalement conscience, on peut appréhender ce qui les déclenche.

> En ne jugeant pas ses émotions, on leur permet tout simplement de suivre leur cours, puis de se volatiliser.

En ne jugeant pas ses émotions, on leur permet tout simplement de suivre leur cours, puis de se volatiliser. En se disant qu'on devrait les éprouver ou non, on ne fait qu'en entasser de nouvelles sur une pile sans leur donner la possibilité de suivre leur cours.

La prochaine fois qu'une émotion se manifestera en vous, prêtez-y immédiatement attention. Retenez-vous de la classer dans la pile des bonnes ou des mauvaises émotions, et rappelez-vous qu'elle naît en vous pour vous faire comprendre quelque chose d'important.

2 Observez l'effet d'entraînement de vos émotions

Voyons ce qui se produit lorsqu'on lance une pierre dans l'eau : dès qu'elle touche la surface de l'eau, des ondulations de plus en plus larges se produisent. De la même façon, les déversements d'émotions entraînent des répercussions sur l'entourage. Comme les émotions sont les premiers catalyseurs d'un comportement, il est important de bien comprendre l'effet qu'elles produisent sur les autres.

Prenons, par exemple, un chef de service qui perd son sang-froid et qui réprimande un employé devant le reste de son équipe. Au moment de formuler sa critique, il peut donner l'impression qu'il ne cible que l'individu à qui il s'adresse. Pourtant, son reproche affecte toutes les personnes présentes. Au moment de retourner à leur bureau, celles-ci se ressentiront de la colère de leur patron. L'estomac noué, elles reprendront leur travail en se demandant quand il leur tombera dessus.

Quant au chef de service, il se dira que sa diatribe aura un bon effet sur la productivité des membres de son équipe, car elle les remettra dans le « droit chemin ». En réalité, leur peur se muera plutôt en circonspection. Pour exceller dans leur travail, les membres d'une équipe doivent prendre des risques, sortir de leur zone de confort et même commettre des erreurs en cours de route. Dans le présent exemple, comme les employés ne voudront pas être la prochaine cible du patron, ils ne prendront plus aucun risque et s'en tiendront à ce qu'il exigera d'eux. Lorsqu'il sera mis sur la sellette une année plus tard, du fait qu'il dirige une équipe qui ne possède aucun sens de l'initiative, il se demandera ce qui ne va pas dans *cette équipe*.

Vos émotions sont des armes puissantes. Vous vous rendez de mauvais services si vous persistez à croire qu'elles n'ont que des conséquences immédiates et minimes. Observez leur effet d'entraînement en surveillant de près les répercussions qu'elles ont immédiatement sur les autres, puis servez-vous de cette information pour déterminer comment elles affecteront un cercle plus étendu de gens à plus long terme. Pour bien comprendre leur effet d'entraînement, vous devez réfléchir à votre comportement. Vous devez aussi demander à votre entourage comment elles l'affectent. Plus vous comprendrez leur effet d'entraînement, plus vous réussirez à choisir le type d'effet que vous désirez produire.

3 Surmontez votre malaise

Le plus grand obstacle à l'éveil de la conscience de soi est la prédisposition à vouloir échapper au malaise qui nous envahit lorsqu'on se voit tel que l'on est. Ce qu'on apprend à son propre sujet peut faire mal : voilà pourquoi on préfère ne pas y penser. Mais cette stratégie d'évitement crée plutôt des problèmes, car elle n'est qu'un baume passager. Vous ne réussirez jamais à améliorer votre conscience de soi si vous ne tenez pas compte de ce que vous devez faire pour changer.

> Plutôt que d'éviter une émotion, vous devez avoir comme objectif d'y faire face.

Plutôt que d'éviter une émotion, vous devez avoir comme objectif d'y faire face. Affrontez toutes vos émotions, même celles qui – à l'instar de l'ennui, de la confusion ou de l'appréhension – ne déclenchent qu'un malaise léger. Sinon, vous raterez l'occasion de vous améliorer. Pire encore, sachez que vous ne les ferez pas disparaître en n'en tenant pas compte ; elles ne feront que réapparaître au moment où vous vous y attendrez le moins.

Pour être efficace dans la vie, on doit se rendre compte qu'on est orgueilleux – un défaut qu'on préfère généralement tapir en soi, car on le juge insignifiant. Ainsi, certaines personnes se disent qu'il faut être une poule mouillée pour présenter des excuses ; elles n'apprennent donc jamais à reconnaître les occasions ou les moments où les excuses sont nécessaires. D'autres, qui détestent se sentir abattues, cherchent à se distraire par des activités futiles qui ne les rendent jamais heureuses. Dans les deux cas, elles devront oser affronter leurs émotions avant de pouvoir changer. Sinon, elles continueront d'être improductives, de suivre une voie qui ne les satisfait pas et de commettre perpétuellement les mêmes erreurs.

Après avoir réussi à quelques reprises à surmonter votre malaise, vous vous rendrez compte que ce sentiment n'est pas si horrible et qu'il peut même être gratifiant. Ce qui est étonnant, dans le cas de la conscience de soi, c'est qu'il suffit d'y penser pour arriver à l'améliorer, même si, au départ, on ne parvient qu'à penser à ses « erreurs ». Ne craignez pas de commettre des erreurs sur le plan émotionnel. Celles-ci vous aideront à savoir comment agir différemment et elles vous fourniront les données dont vous avez besoin pour mieux vous comprendre.

4 Ressentez physiquement vos émotions

Lorsqu'une émotion envahit quelqu'un, des signaux électriques atteignent son cerveau et déclenchent des sensations physiques dans son corps. Ses sensations sont multiples : son estomac se noue, ses muscles se contractent, son cœur s'emballe, sa respiration s'accélère, sa bouche se dessèche. Comme le cerveau et le corps sont étroitement liés, il suffit de capter les changements physiques qui accompagnent certaines émotions pour bien comprendre lesquelles, parmi ces dernières, se manifestent.

Pour mieux interpréter les effets physiques de certaines émotions, fermez les yeux pendant quelques instants la prochaine fois que vous serez seul. Soyez attentif au rythme de vos battements cardiaques et de votre respiration. Vérifiez si les muscles de vos bras, de vos jambes, de votre cou et de votre dos sont détendus ou contractés. Puis, pensez à deux événements que vous avez vécus – l'un positif et l'autre négatif – et qui ont déclenché de fortes émotions en vous. Remémorez-vous suffisamment le premier pour sentir vos émotions se manifester. Remarquez les changements physiques qui s'opèrent en vous : votre respiration et votre rythme cardiaque changent-ils ? La tension de vos muscles augmente-t-elle ? Avez-vous plus chaud ou plus froid? Répétez cet exercice en pensant au deuxième événement, puis notez les différences au sein de vos réactions physiques entre le premier événement et le second.

En pensant à des incidents qui font naître en vous certaines émotions, vous vous exercez simplement à observer ce qui se passe en vous dans des situations réelles. Au départ, ne vous obligez pas à trop réfléchir. Relevez simplement ce que vous ressentez. À force de vous exercer, vous vous rendrez compte que vous devenez physiquement conscient d'une émotion précise bien avant que votre cerveau en prenne conscience.

5 Identifiez les personnes et les situations qui vous irritent

Tout le monde a des bêtes noires: des éléments qui nous irritent et qui nous contrarient au point de nous faire sortir de nos gonds. Peut-être avez-vous une collègue qui aime voler la vedette. Elle fait des entrées fracassantes au cours des réunions, attire l'attention de tout le monde et essaie de contrôler la situation. Elle parle plus fort que toutes les personnes présentes, et ses interventions sont interminables, comme si elle aimait simplement s'entendre parler.

Si vous êtes plutôt quelqu'un de discret (ou, au contraire, si vous aspirez vous-même à tenir la vedette), ce genre de situation peut vous embêter au plus haut point. Lorsque vous arrivez à une réunion avec de bonnes idées et avec la volonté d'aller droit au but, et que vous vous trouvez face à d'autres qui jouent la comédie à outrance, cela risque de vous rendre dingue ou de vous faire exploser de rage. Par ailleurs, même si vous n'osez pas laisser échapper des commentaires impulsifs ni lancer des attaques directes, votre langage corporel finira par vous trahir.

En sachant quels individus et quels contextes vous irritent, vous pouvez développer votre aptitude à rester maître de vous-même et à conserver ou à retrouver votre calme. Pour y parvenir, vous devez déterminer précisément les personnes et les situations qui déclenchent en vous des émotions négatives. Il peut s'agir de gens qui jouent les vedettes, de situations qui vous inquiètent ou qui vous prennent au dépourvu, ou de conditions extérieures telles qu'un environnement bruyant. Identifiez clairement ce qui vous exaspère : la situation pourrait devenir moins difficile, car vous ne serez plus surpris et pris au dépourvu.

Par ailleurs, vous pourriez accroître votre conscience de soi en tentant de découvrir pourquoi ces situations et ces individus vous font fulminer ainsi, alors que d'autres, peut-être tout aussi ennuyeux, ne vous contrarient pas du tout. La personne qui vole la vedette vous rappelle peut-être votre sœur, qui, durant votre enfance, prenait tous les moyens possibles pour attirer l'attention. Après avoir vécu de nombreuses années dans son ombre, vous vous êtes juré que vous ne subiriez plus jamais ce genre de chose. Maintenant que son clone assiste aux mêmes réunions que vous, pas étonnant que sa présence déclenche en vous une telle exaspération !

Si vous savez pourquoi telle personne ou telle situation vous énerve autant, vous parviendrez à gérer vos réactions. Pour le moment, contentez-vous de cerner ce qui cause votre irritation et d'en prendre note. Avec cette information, vous pourrez mieux tirer parti des stratégies permettant de développer la maîtrise de soi et la gestion des relations que nous abordons dans les prochains chapitres.

6 Gardez un œil objectif

Avec leur œil perçant, les faucons ont l'avantage de pouvoir voler à plusieurs centaines de pieds au-dessus du sol tout en distinguant ce qui s'y passe. Mais les créatures terrestres avancent dans la vie avec une vision plus étroite, sans se rendre compte que les oiseaux qui planent au-dessus de leurs têtes peuvent percevoir leurs moindres mouvements. Pensez à tout ce que vous pourriez voir et comprendre si vous étiez là-haut. Ce regard objectif vous permettrait de vous « éloigner » de vos émotions et de savoir exactement quoi faire pour arriver à quelque chose de favorable.

Heureusement, il vous est possible de développer l'aptitude à comprendre objectivement vos comportements. Pour y parvenir, exercez-vous à prêter attention à vos émotions, à vos pensées et à vos comportements dès qu'une situation précise survient. Grâce à cet exercice, votre cerveau apprendra à traiter toutes les données disponibles avant que vous n'agissiez.

Prenons un exemple. Disons que votre ado a dépassé de deux heures le couvre-feu établi. Assis dans le noir, vous attendez qu'il ouvre la porte en espérant qu'il vous fournira une explication sensée pour son retard et pour le fait qu'il ne répondait pas au téléphone. Plus vous pensez à son manque de respect face à votre autorité et à votre nuit écourtée par sa faute, plus vous bouillez de rage. Puis, vous commencez à vous inquiéter de sa sécurité, et vous oubliez ce qui vous a d'abord contrarié. Bien sûr, vous voulez le voir obéir aux règles établies, mais son insouciance vous ennuie plus que tout.

Gardez un œil objectif sur la situation et tirez profit du calme avant la tempête. Vous vous savez prêt à exploser dès que votre fils essaiera de justifier son retard. Vous savez aussi que vous réussiriez mieux à lui faire suivre vos règles si vous pouviez lui faire comprendre votre inquiétude ; qu'il ne vous cause généralement pas de problèmes même s'il se comporte un peu trop comme les autres ados depuis quelque temps ; que votre colère ne donnera rien de bon. En toute objectivité, vous décidez donc de lui expliquer les raisons pour lesquelles vous êtes contrarié, ainsi que la punition que vous comptez lui imposer, au lieu de laisser éclater votre colère. Lorsqu'il finit par entrer doucement dans la maison, vous êtes heureux d'avoir été capable de comprendre la situation dans son ensemble au lieu d'être resté concentré sur son retard et sur son manque de respect.

7 Tenez un journal de vos émotions

L'objectivité est la plus grande difficulté à laquelle on doit faire face en matière de conscience de soi. En effet, il est difficile d'adopter une perspective objective relativement aux émotions qu'on ressent et aux comportements qu'on a lorsque, chaque jour, on a l'impression de devoir écarter de nouveaux obstacles. On peut noter dans son journal les événements qui ont déclenché de fortes émotions en soi et comment on y a réagi.

> L'objectivité est la plus grande difficulté à laquelle on doit faire face en matière de conscience de soi.

Notez ce qui se passe au travail comme à la maison. En moins d'un mois, vous remarquerez certaines de vos habitudes et vous comprendrez mieux votre façon de vous comporter. Vous aurez une meilleure idée des émotions qui font que vous avez le moral à zéro, de celles qui vous donnent des ailes et de celles que vous avez le plus de difficulté à tolérer. Prêtez attention aux personnes et aux situations qui vous irritent, et qui déclenchent en vous des sentiments intenses. Décrivez les émotions que vous éprouvez chaque jour, et n'oubliez pas de consigner les sensations physiques qui accompagnent chacune d'elles.

En plus de vous aider à voir les choses plus clairement, cet exercice vous permettra de vous remémorer plus facilement vos comportements, et votre journal deviendra une référence fort utile pour éveiller votre conscience de soi.

8 Ne vous laissez pas duper par votre mauvaise humeur

Chacun peut, à un moment ou l'autre, succomber au cafard et avoir l'impression que tout va de travers. On voit alors un nuage noir obscurcir ses pensées, ses sentiments et les expériences vécues. Malheureusement, lorsqu'une humeur chagrine vous envahit, votre cerveau a tendance à vous faire perdre de vue tout ce qui va bien dans votre vie. En moins de deux, voilà que vous détestez votre travail, que votre famille et vos amis vous énervent, que vous considérez vos réalisations comme insignifiantes et que vous laissez votre optimisme concernant l'avenir s'envoler. Bien sûr, tout n'est pas aussi noir que vous le croyez, mais votre cerveau ne veut rien entendre.

La conscience de soi permet de savoir ce qui se passe en soi, même si on ne peut rien y changer. Acceptez le fait que votre mauvaise humeur transporte avec elle un nuage noir qui vous fait tout considérer négativement et rappelez-vous qu'elle n'est que passagère. Les émotions changent constamment, et la mauvaise humeur finit toujours par s'éloigner.

Dans les moments où vous vous sentez abattu, ne prenez pas de décisions importantes. Soyez conscient de votre humeur et essayez de la comprendre afin de l'empêcher de vous faire commettre des erreurs qui pourraient vous enfoncer davantage. C'est une bonne idée de réfléchir aux événements récents qui ont fait surgir en vous votre déprime – sans vous y appesantir trop longtemps –, car c'est parfois tout ce qu'il faut pour la faire disparaître.

9 Ne vous laissez pas duper par votre bonne humeur

La mauvaise humeur et les émotions négatives ne sont pas les seules à causer des ennuis. La bonne humeur peut aussi être trompeuse. Chaque fois qu'on se sent excité et heureux, on risque de faire des choses regrettables.

Pensez au scénario suivant : une journée par année, votre boutique préférée offre des rabais allant jusqu'à 75 %. Vous profitez de l'occasion et vous finissez par acheter toutes sortes de produits que vous n'avez pas les moyens de vous offrir (du moins, pas tous en même temps). Vos acquisitions, que vous exhibez devant vos amis et votre famille, vous rendent euphorique durant toute une semaine. Mais, à la fin du mois, vous recevez le relevé de votre carte de crédit et vous commencez à déchanter.

Les achats impulsifs ne sont pas le seul type d'erreur que votre excellente humeur risque de vous faire commettre. En vous amenant à tout voir en rose, l'excitation et l'énergie qui vous envahissent peuvent vous pousser à prendre toutes sortes de décisions impulsives sans tenir compte des conséquences de vos gestes. Restez conscient de votre bonne humeur et des décisions hasardeuses auxquelles elle risque de vous mener, et vous en profiterez mieux sans le regretter.

10 Prenez le temps de vous demander pourquoi vous agissez comme vous le faites

Vos émotions se manifestent quand elles le veulent et non quand vous le voulez. Votre conscience de soi croîtra exponentiellement lorsque vous commencerez à vous interroger sur leur source. Prenez l'habitude de vous demander pour quelles raisons certaines émotions étonnantes surgissent en vous et ce qui vous motive à poser des gestes qui ne vous ressemblent pas. Les émotions ont une utilité importante : elles servent à vous renseigner sur des choses que vous ne comprendrez jamais si vous ne prenez pas le temps de déterminer les raisons pour lesquelles vous vous comportez comme vous le faites.

La plupart du temps, les choses sont simples à comprendre ; cependant, parfois, vous n'avez pas le temps de vous arrêter et d'analyser ce qui se passe. Avec un peu de pratique, vous pouvez réussir à cerner les causes de vos réactions émotionnelles et comprendre ainsi l'utilité de vos émotions. Étonnamment, il suffit de prêter attention à celles-ci et de vous poser les questions suivantes, notamment, pour vous améliorer : vous souvenez-vous de la première fois que vous avez réagi ainsi ? Avec qui étiez-vous ? Y a-t-il des similitudes entre ce premier événement et l'événement actuel ? Tout le monde remarque-t-il votre réaction ou certaines personnes seulement ? Plus vous comprendrez les raisons pour lesquelles vous agissez d'une certaine façon, plus vous réussirez à empêcher vos émotions de prendre le dessus.

11 Examinez vos valeurs

On ne cesse de jongler avec des projets de toutes sortes, des réunions qui n'en finissent plus, des factures à payer, des courses à faire, des courriels, des messages textes et des appels téléphoniques à transmettre et à recevoir, des corvées à exécuter, des repas à préparer, des activités à mener en famille ou avec des amis… Il faut une bonne dose de concentration pour éviter de tout voir s'écrouler autour de soi.

Pour maintenir un certain équilibre, on doit porter son regard au loin. En courant pour réussir à accomplir toutes ses tâches quotidiennes, on peut facilement perdre de vue ce qui compte véritablement pour soi : ses valeurs et ses croyances. En moins de deux, on se retrouve en train de dire et de faire des choses auxquelles on ne croit pas. Par exemple, on crie après un collègue qui a commis une erreur alors que, normalement, on n'agirait pas de manière aussi hostile, ce type de comportement étant contraire aux valeurs qu'on prône. Ce genre de situation peut nous mettre mal à l'aise, voire nous faire éprouver un sentiment d'insatisfaction.

Arrêtez-vous et prenez le temps de vous demander quelles valeurs et quelles croyances comptent vraiment pour vous. Divisez une feuille en deux colonnes. Dans celle de gauche, dressez une liste de vos croyances et de vos valeurs principales ; dans celle de droite, indiquez tout ce que vous avez dit ou fait récemment et dont vous n'êtes pas particulièrement heureux. Votre façon de vous comporter concorde-t-elle avec vos valeurs ? Si ce n'est pas le cas, pensez à ce que vous auriez pu dire ou faire d'autre pour être plus à l'aise ou fier de vous.

En répétant cet exercice au besoin (quotidiennement, mensuellement ou quelque part entre les deux), vous ferez monter en flèche votre conscience de soi. Vous en viendrez rapidement à penser à votre liste *avant* d'agir, ce qui vous préparera à effectuer des choix que vous pourrez assumer.

12 Surveillez votre apparence

La conscience de soi est généralement un processus introspectif. Cependant, l'apparence extérieure peut aussi donner des indices qui aident à comprendre ce qui se passe en soi. En effet, les sentiments et l'humeur sont révélés par les expressions faciales, la posture, la conduite, les vêtements et même la coiffure.

Votre apparence physique et votre habillement envoient un message explicite sur ce que vous ressentez. Par exemple, avec vos vieux pantalons de jogging, vos t-shirts miteux et vos cheveux mal coiffés, vous indiquez au monde entier que vous avez abandonné la partie. Par ailleurs, si vous vous habillez trop élégamment à la moindre occasion et si vous faites rafraîchir votre coupe de cheveux toutes les semaines, vous donnez à votre entourage l'impression de trop en faire. Bien sûr, votre conduite en dit aussi beaucoup sur votre humeur, mais votre message peut être ambigu. Par exemple, au cours d'une première rencontre avec une personne, votre anxiété et votre insécurité peuvent vous inciter, comme beaucoup de gens, à vous montrer distant ou indifférent, ou à faire du zèle.

Dans de telles situations, il importe que vous notiez votre état d'esprit et que vous teniez compte de son influence sur votre conduite. L'apparence que vous privilégiez est-elle mûrement réfléchie ? Traduit-elle simplement votre humeur ou l'avez-vous adoptée par défaut ? Bien sûr, l'image que vous projetez traduit vos émotions, et il vous revient de faire vos choix. Prenez le temps de comprendre votre état d'esprit et de surveiller votre apparence *avant* que celle-ci ne donne le ton à votre journée.

13 Servez-vous de livres, de films et de musique pour cerner vos émotions

Pour vous aider à analyser et à cerner vos émotions, vous pouvez penser aux genres de films, de musique et de livres auxquels vous vous identifiez. La musique ou les paroles d'une chanson qui vous émeuvent en disent long sur ce que vous ressentez. Souvent, lorsqu'un personnage de film ou de livre vous colle à la peau, c'est parce que certains de ses sentiments ou de ses idées correspondent aux vôtres. Ces éléments peuvent vous en apprendre beaucoup sur vous-même et vous permettre d'expliquer à vos proches ce que vous éprouvez.

Reconnaître des émotions grâce à certaines formes d'expression artistique est un bon moyen de mieux se connaître et de découvrir des sentiments souvent difficiles à communiquer. On ne réussit pas toujours à trouver les mots pour formuler ce qu'on ressent. En écoutant de la musique, en lisant des romans et en regardant des films ou d'autres types d'œuvres artistiques, on ouvre la voie à ses émotions les plus profondes. La prochaine fois qu'une de ces formes artistiques attirera votre attention, prêtez-y attention : vous pourriez faire de belles découvertes !

14 Ouvrez-vous aux commentaires des autres

On voit tout — y compris soi-même — à travers ses propres lentilles. Celles-ci sont teintées par les expériences qu'on vit, par ses croyances et, bien sûr, par son état d'esprit. Ces lentilles empêchent toutefois d'avoir une vision objective de soi. En effet, il peut y avoir une énorme différence entre la façon dont on se perçoit et celle dont les autres nous voient. Cet abîme est, malgré tout, une riche source d'enseignement qui aide à développer sa conscience de soi.

> **La conscience de soi est un processus qui vous amène à vous connaître sous toutes vos facettes.**

La conscience de soi est un processus qui vous amène à vous connaître sous toutes vos facettes. Par ailleurs, la seule façon de savoir comment les autres – vos amis, vos collègues, vos mentors, vos superviseurs et votre famille – vous perçoivent est de solliciter leurs remarques à votre sujet. Lorsque des personnes de votre entourage vous font des commentaires, invitez-les à vous donner des exemples précis. À mesure que vous accumulerez des données, vérifiez si vous trouvez des similitudes entre elles. Le point de vue des autres vous aidera à ouvrir les yeux et à comprendre l'idée qu'ils se font de *vous*. L'ensemble de ces commentaires vous permettra de brosser un portrait complet de vous, y compris de la façon dont vos émotions et vos réactions affectent les autres. En trouvant le courage de scruter ce que les autres pensent de vous, vous pouvez arriver à un niveau de conscience de soi que peu de gens atteignent.

15 Apprenez à vous connaître même en situation de stress

La montagne de facteurs de stress qui agressent tout le monde ne cesse de grossir. Dès que la tolérance au stress d'un individu atteint de nouveaux sommets, celui-ci fait en sorte de tout absorber (ou les personnes de son entourage font en sorte de tout lui faire absorber) pour qu'il réussisse à en supporter toujours plus. Par ailleurs, les gadgets électroniques à la disposition des gens ne leur sont d'aucune aide. En fait, ils ne semblent servir qu'à leur en mettre toujours plus sur les épaules.

Comme la plupart des humains, vous êtes capable de reconnaître certains signaux d'alarme qui surgissent en cas de situation stressante. Mais – et c'est le plus important – tenez-vous réellement compte de ces signaux ?

Vous tireriez d'énormes avantages à déceler les tout premiers signes de stress. En matière de stress, votre corps et votre esprit ont leurs propres voix, qui vous font savoir au moyen de certaines réactions physiologiques et émotionnelles qu'il est temps de ralentir ou de faire une pause. Par exemple, un mal de ventre peut trahir de la nervosité ou de l'anxiété. L'indigestion et la fatigue qui s'ensuivent sont les moyens que prend votre corps pour vous obliger à vous reposer. Si le stress et l'anxiété se traduisent par des maux d'estomac chez certains, chez d'autres, ils entraînent de violents maux de tête, des ulcères ou des maux de dos. En situation de stress, votre conscience de soi doit vous servir de « troisième oreille » et vous permettre d'entendre les cris de votre corps, qui veut vous faire comprendre que vous le poussez à bout. Prenez le temps de distinguer ces signaux et de recharger vos batteries sur le plan émotionnel avant que le stress ne cause des torts irréparables à votre organisme.

Les stratégies pour développer la maîtrise de soi

La maîtrise de soi se définit comme l'aptitude à prendre conscience de ses émotions de sorte à demeurer ouvert, et à bien choisir ce qu'on va faire et dire. À première vue, elle peut sembler se limiter à la capacité de prendre une bonne inspiration et de se contenir au moment où surgissent des émotions intenses. Évidemment, ce contrôle de soi est une pièce importante du casse-tête, mais il dépasse la capacité de résister à une manifestation soudaine et explosive d'émotions.

Comme les éruptions volcaniques, les émotions dissimulent sous leur surface des bouillonnements de toutes sortes avant que la lave ne commencer à jaillir. À la différence d'une éruption volcanique, toutefois, on peut agir en vue de dominer ce qui se passe en soi. Il faut simplement apprendre à cerner le type de bouillonnement (qui va du mécontentement à la joie) et à y réagir.

La maîtrise de soi prend appui sur une autre habileté : la conscience de soi. En effet, pour bien se maîtriser et réagir à une émotion, on doit être conscient de celle-ci. Le cerveau est programmé pour déclencher certaines émotions avant même qu'on puisse répondre à une situation. C'est par leur capacité à bien comprendre ces émotions et à y faire face que se distinguent les as de la maîtrise de soi. Cette dernière permet d'éviter à une personne de poser des gestes qui pourraient lui nuire ou mettre un frein à sa réussite. Elle l'empêche de frustrer les autres et de leur donner l'impression qu'elle est déplaisante ou désagréable.

Lorsqu'on réussit à comprendre ses émotions, on peut maîtriser des situations difficiles, réagir lestement aux changements et prendre les initiatives nécessaires pour atteindre ses objectifs.

Si vous développez votre capacité à vous jauger rapidement et à prendre les rênes de la situation avant de vous engager dans la mauvaise direction, vous parviendrez à donner une orientation positive à votre comportement. Par contre, en laissant vos émotions dicter votre comportement, vous deviendrez victime d'un « détournement émotif ». Que vous en soyez conscient ou non, elles prendront alors le dessus, et vous ne pourrez qu'y réagir sans véritablement choisir ce que vous voulez faire ou dire.

Vous trouverez, dans le reste du chapitre, 17 stratégies éprouvées que vous pouvez mettre en pratique aujourd'hui même. Elles vous aideront à gérer vos émotions à votre avantage. Chacune d'elles cible un aspect important de la maîtrise de soi. Elles ont toutes été testées durant de nombreuses années auprès de personnes comme vous.

À mesure que vous les maîtriserez et que vous les intégrerez dans votre routine quotidienne, vous augmenterez votre aptitude à réagir efficacement à vos émotions. Bien sûr, même si vous devenez généralement capable de gérer celles-ci, il y aura toujours des situations qui vous irriteront au plus haut point ; votre vie ne se transformera pas en conte de fées sans aucun obstacle à franchir. Mais vous disposerez de tout ce qu'il vous faut pour prendre le volant et aller de l'avant.

Liste des stratégies

1. Apprenez à respirer
2. Dressez une liste opposant les émotions à la raison
3. Faites connaître vos objectifs
4. Comptez jusqu'à 10

5. Laissez la nuit vous porter conseil

6. Parlez à un expert de la maîtrise de soi

7. Souriez et riez

8. Réservez chaque jour un peu de temps à la résolution de problèmes

9. Soyez maître de votre discours intérieur

10. Imaginez-vous en train de réussir

11. Améliorez votre hygiène du sommeil

12. Concentrez-vous sur les options qui s'offrent à vous et non sur les limites que vous impose une situation donnée

13. Ayez une bonne synchronie

14. Discutez avec une personne qui n'est pas émotionnellement impliquée dans votre problème

15. Tirez des leçons des gens que vous rencontrez

16. Intégrez dans votre horaire des activités qui vous aident à recharger vos batteries mentales

17. Acceptez les changements

1 Apprenez à respirer

À l'instar de la majorité des gens, sans même vous en rendre compte, vous avez tendance à prendre de courtes inspirations peu profondes, sans contracter complètement votre diaphragme pour remplir vos poumons d'air. Comment modifier cette habitude ? Vous pensez peut-être que ce n'est pas très grave et que vous ne manquez pas d'oxygène. Sachez, cependant, que vos poumons sont conçus *précisément* pour fournir à votre organisme *toute* la quantité d'air dont il a besoin pour oxygéner correctement la totalité des organes de votre corps. Si vos inspirations sont superficielles (si elles ne suffisent pas à faire gonfler votre ventre), vous ne fournissez pas à votre organisme la quantité d'oxygène dont il a besoin.

Le cerveau accapare 20 % de l'apport en oxygène du corps ; il s'en sert pour assurer les fonctions de base, telles que la respiration et la vision, et d'autres fonctions complexes, comme la réflexion et la gestion de l'humeur. Il commence par consacrer une partie de l'oxygène aux fonctions essentielles, puisque ce sont celles qui maintiennent en vie. L'oxygène qui reste est utilisé pour les fonctions complexes, qui permettent de demeurer alerte, de rester concentré et de conserver son calme. Les inspirations superficielles privent le cerveau d'oxygène, et cela entraîne des problèmes de concentration ou de mémoire, des sautes d'humeur, de l'impatience, de la déprime, de l'anxiété et un manque d'énergie. Les inspirations superficielles nuisent donc à la capacité d'améliorer la maîtrise de soi.

La prochaine fois que vous vivrez une situation stressante ou particulièrement émouvante, concentrez-vous sur l'importance de prendre des respirations lentes et profondes. Inspirez par le nez jusqu'à ce que vous sentiez votre ventre se gonfler et durcir, puis expirez doucement, en laissant l'air sortir complètement par votre bouche, en le poussant jusqu'à ce que vous ayez vidé vos poumons. Pour être certain que vous respirez correctement, placez une main sur votre sternum (l'os long et plat situé au centre de votre poitrine), et l'autre, sur votre ventre, puis inspirez. Au moment où vous expirez, si la main que vous avez posée sur votre ventre bouge plus que celle que vous appuyez sur votre sternum, vous saurez que vos poumons se remplissent complètement d'air et que votre organisme reçoit toute la quantité d'oxygène dont il a besoin. Si vous vous exercez suffisamment à suivre cette technique, vous la contrôlerez assez pour pouvoir y recourir en présence d'autres personnes sans qu'elles le remarquent. Vous trouverez cela fort pratique lorsque vous voudrez l'utiliser au cours de conversations difficiles.

Chaque fois que vous déciderez de respirer correctement et de fournir à votre cerveau tout l'oxygène dont il a besoin, vous remarquerez les bienfaits de votre geste. Beaucoup de gens notent qu'ils ressentent alors un sentiment de calme et de relaxation, et qu'ils ont ensuite l'impression d'avoir les idées claires. Cette technique de respiration est un moyen simple, mais efficace de gérer vos émotions. De plus, en faisant travailler votre cerveau rationnel, vous éloignez votre attention des pensées désagréables qui vous envahissent et qui peuvent vouloir s'incruster. Que vous vous sentiez stressé et anxieux en raison d'une échéance qui approche à grands pas ou à cause de pensées négatives dues à un événement passé, vous réussirez à vous calmer et à vous sentir mieux grâce à cette technique, qui met à contribution votre cerveau rationnel.

2 Dressez une liste opposant les émotions à la raison

Même si nous ne nous en rendons pas toujours compte, il arrive souvent que nous laissions nos émotions nous entraîner dans une certaine direction, alors que notre esprit rationnel nous incite à en suivre une autre.

Ainsi, lorsque votre cerveau rationnel est en lutte avec votre cerveau émotionnel, profitez de l'occasion pour dresser une liste vous permettant de faire le tri entre les éléments rationnels et les éléments émotionnels. Elle vous aidera à vous éclaircir les idées, à utiliser vos connaissances à bon escient et à tenir compte de vos émotions sans les laisser prendre le contrôle.

Pour établir une liste opposant les émotions à la raison, tracez simplement un trait au milieu d'une feuille de sorte à la diviser en deux colonnes. Dans la colonne de gauche, notez ce que vos émotions vous poussent à faire ; dans celle de droite, inscrivez ce que votre raison vous incite à faire. Puis, posez-vous deux questions importantes : en quoi vos émotions faussent-elles votre jugement ? Quels aspects importants liés à celles-ci votre raison laisse-t-elle de côté ? Vos émotions vous créeront des problèmes si vous les laissez prendre déraisonnablement le contrôle, mais vos pensées rationnelles risquent de susciter autant de problèmes si vous vous en tenez à fonctionner tel un robot insensible. Vos sentiments sont en vous, que vous les reconnaissiez ou non, et, en les notant sur un papier, vous vous obligez à en prendre conscience.

La prochaine fois qu'une situation pénible ou stressante vous embêtera, prenez une feuille et installez-vous dans un endroit tranquille pour organiser vos idées et dresser une telle liste. Il vous deviendra plus facile de décider si vous devez accorder plus de poids à votre raison qu'à vos émotions, ou vice-versa.

....

3 Faites connaître vos objectifs

Il n'est pas facile de mener à bien les objectifs qu'on se fixe, surtout lorsque la vie nous met constamment des bâtons dans les roues. On essuie parfois d'amères déceptions, par exemple lorsqu'on ne réussit pas à atteindre un objectif ou à réaliser une chose qui nous tenait à cœur.

Toutefois rien ne peut vous motiver davantage à atteindre les objectifs que vous vous êtes fixés que de les faire connaître publiquement. Si vous dites clairement à d'autres personnes – à des amis, à des membres de votre famille ou à votre conjoint – ce que vous vous préparez à accomplir, vous les amènerez à s'intéresser à vos progrès, et vous vous sentirez singulièrement obligé de leur rendre des comptes.

La maîtrise de soi se réduit souvent à une question de motivation ; vous pouvez vous servir des attentes des autres à votre égard pour vous faire bouger. Si vous devez tenir votre patron au courant de l'avancement d'un projet ou si un ami vous attend tous les matins à 5 h pour aller faire du jogging avec vous, vous serez plus enclin à agir que si vous n'avez de compte à rendre à personne. Faites connaître vos objectifs à des gens qui s'intéresseront véritablement à vos progrès et demandez-leur d'en faire un suivi et de vous obliger à leur rendre des comptes. Vous pourriez même aller jusqu'à leur attribuer le pouvoir de vous accorder une récompense ou une punition. Par exemple, nous

> **La maîtrise de soi se réduit souvent à une question de motivation ; vous pouvez vous servir des attentes des autres à votre égard pour vous faire bouger.**

connaissons un professeur d'université qui s'est engagé à donner 100 $ à ses collègues chaque fois qu'il dépasserait la date de remise d'un article de recherche. Comme vous pouvez l'imaginer, il est à peu près le seul de son équipe à ne jamais manquer une date butoir!

 4 ## Comptez jusqu'à 10

Remerciez votre enseignant de maternelle! En effet, c'est quand vous étiez tout petit que vous avez appris, sans le savoir, une des stratégies les plus efficaces pour calmer des émotions fortes. Pourtant, les adultes ont fâcheusement tendance à perdre de vue ce genre de stratégie toute simple, mais efficace, en matière de maîtrise de soi.

Voici comment vous y prendre lorsque des sentiments de frustration ou de colère commencent à monter en vous : arrêtez-vous, inspirez profondément et, au moment d'expirer, dites le chiffre un dans votre tête, puis continuez de respirer. Recommencez le processus jusqu'à parvenir au chiffre 10. Vous réussirez ainsi à vous relaxer et à retrouver votre sang-froid. Vous pourrez ensuite avoir une perspective plus claire et rationnelle de la situation au lieu de vous lancer dans des actes irréfléchis.

Il n'est pas toujours opportun ni nécessaire de compter jusqu'à 10. Par exemple, au cours d'une réunion, un collègue vous interrompt brusquement pour tenir des propos ridicules qui vous piquent au vif. Vous ne pouvez pas rester assis sans rien rétorquer, en prenant le temps de compter jusqu'à 10. Une « pause » de quelques petites secondes pourrait suffire à endiguer la frustration et la colère que vous sentez monter en vous, et vous aider à calmer suffisamment votre système limbique, le temps de laisser votre cerveau rationnel redevenir maître de la situation.

> Une « pause » de quelques petites secondes pourrait suffire à endiguer la frustration et la colère que vous sentez monter en vous, et vous aider à calmer suffisamment votre système limbique, le temps de laisser votre cerveau rationnel redevenir maître de la situation.

Par ailleurs, il existe toutes sortes de moyens subtils de ne pas faire remarquer à votre entourage l'exercice auquel vous êtes en train de vous livrer. Par exemple, certaines personnes apportent une boisson à toutes les réunions auxquelles elles assistent. Lorsqu'elles se sentent émotionnellement perturbées par les propos d'un tiers, elles en prennent une gorgée. Comme il leur est impossible de parler en buvant, elles réussissent à retrouver leur calme (en comptant dans leur tête, au besoin), à organiser leurs idées et à préparer une réplique constructive.

En réagissant trop promptement et sans réfléchir, vous risquez d'enflammer votre cerveau émotionnel. Étant donné qu'une réplique incisive menace d'envenimer les échanges, vous pourriez facilement perdre le contrôle de vos émotions et être victime d'un « détournement émotif ». En prenant le temps de vous concentrer sur votre décompte, vous engagez votre cerveau rationnel. Vous retrouvez donc le contrôle de vos émotions et vous les empêchez de vous dominer.

5 Laissez la nuit vous porter conseil

Dans son classique *Guerre et Paix*, Léon Tolstoï a écrit que le temps et la patience sont deux alliés indéfectibles. Ils ont le pouvoir de montrer les situations sous un jour nouveau, d'apaiser la douleur et d'éclaircir certains événements. On agit parfois prématurément dans des situations très désagréables, qui rendent terriblement anxieux, et ce, simplement afin d'atténuer le trouble qu'elles suscitent. Plus souvent qu'autrement, avec un peu de patience, en prenant une journée, une semaine ou un mois pour absorber les faits avant d'aller de l'avant, il est possible de redevenir maître de soi. Durant cette attente, certains éléments surgissent parfois et facilitent la décision qui s'impose.

Le temps favorise la maîtrise de soi, parce qu'il permet d'éclaircir certains éléments et parce qu'il donne une nouvelle perspective aux milliers d'idées qui nous envahissent lorsque quelque chose d'important nous trotte dans la tête. Le temps nous aide aussi à reprendre le contrôle d'émotions qui nous lanceraient dans une mauvaise direction si nous les laissions prendre le dessus. Laissez donc la poussière retomber avant d'agir.

Parlez à un expert de la maîtrise de soi

Il existe toutes sortes de modèles qui peuvent exercer une forte influence sur les gens. Une des meilleures façons d'améliorer sa maîtrise de soi est de suivre les conseils d'experts en la matière.

En matière d'intelligence émotionnelle, les faiblesses des humains résultent souvent d'habiletés qui ne leur viennent pas naturellement. Par ailleurs, ceux qui jouissent de certaines habiletés en matière d'intelligence émotionnelle sont généralement très conscients de leur atout ; il est d'autant plus facile, donc, d'apprendre d'eux.

Trouvez une personne qui possède à vos yeux une excellente maîtrise de soi. Pour vous aider à la choisir, pensez à demander à des membres de votre entourage de passer le Test d'intelligence émotionnelle auquel ce livre donne accès. Une fois votre as de la maîtrise de soi trouvé, expliquez-lui que vous cherchez à améliorer cette habileté. Dites-lui de passer en revue la section de ce livre consacrée à la maîtrise de soi, puis allez déjeuner ou prendre un café ensemble. Faites-lui clairement part des vos objectifs pour apprendre à rester maître de vous et demandez-lui de vous expliquer les tactiques dont il se sert à ce sujet. Parlez-lui les émotions et les situations qui vous causent le plus de problèmes. Vous apprendrez, d'un tel échange, des moyens uniques et efficaces qui contribueront à vous aider à atteindre vos objectifs et auxquels vous n'auriez peut-être jamais pensé. Avant la fin de votre rencontre, notez les meilleurs conseils et choisissez-en un ou deux, que vous mettrez immédiatement à l'essai. Prévoyez de revoir votre expert de la maîtrise de soi lorsque vous aurez eu la chance d'essayer ses suggestions.

7 Souriez et riez

Saviez-vous que le rire et le sourire indiquent au cerveau qu'on est heureux ? En effet, le cerveau détermine l'état émotif en réagissant littéralement aux signaux que lui envoient les nerfs et les muscles du visage. Quel est le rapport avec la maîtrise de soi ? Eh bien ! en s'obligeant à sourire, on peut combattre l'état émotif négatif suscité par des frustrations ou des idées noires.

Chaque fois que vous devez avoir l'air de bonne humeur (par exemple, si vous travaillez au service à la clientèle d'une entreprise), donnez-vous la peine d'afficher un énorme sourire (qui fera saillir vos pommettes) pour leurrer votre cerveau et lui faire croire que vous êtes dans un état d'esprit léger.

Des chercheurs d'une université française ont mesuré le pouvoir du sourire en faisant lire à deux groupes la même page d'une bande dessinée. Les sujets du premier groupe avaient pour directive de tenir un crayon entre leurs dents tout en lisant (ce qui activait les muscles mis à contribution au moment de sourire) ; quant aux sujets du deuxième groupe, ils devaient tenir le crayon entre leurs lèvres (les muscles du sourire n'étaient alors pas mis à contribution). Les personnes qui souriaient sans le savoir ont trouvé la B.D. bien plus amusante et ont eu plus de plaisir à la lire que celles qui ne souriaient pas.

Pour améliorer votre état d'esprit, vous pouvez aussi regarder un spectacle ou lire un livre que vous trouvez amusant, et qui vous fera sourire et rire. Même si cela a l'air bizarre, il s'agit d'un excellent moyen d'effacer des émotions négatives et de se libérer l'esprit, surtout si votre pessimisme fausse votre jugement. Le sourire et le rire n'élimineront pas votre sentiment de déprime – ce n'est pas le but de cette stratégie, chaque état d'esprit ayant sa raison d'être –, mais il est agréable de savoir qu'il existe un moyen d'avoir l'air de bonne humeur lorsque la situation l'exige.

> ... il est agréable de savoir qu'il existe un moyen d'avoir l'air de bonne humeur lorsque la situation l'exige.

8 Réservez chaque jour un peu de temps à la résolution de problèmes

Même si vous n'en êtes pas toujours conscient, des dizaines d'émotions se manifestent en vous chaque jour, et il peut vous arriver de prendre des décisions au mauvais moment.

En réfléchissant à certaines de vos décisions récentes, vous constaterez que celles que vous avez prises dans le feu de l'action ne sont pas nécessairement aussi efficaces que celles auxquelles vous avez mûrement réfléchi. Pour vous assurer de faire les bons choix, réservez-vous une période que vous consacrerez à la résolution de problèmes. Ne vous compliquez pas la vie : il suffit de 15 minutes par jour, pendant lesquelles vous éteindrez votre téléphone et votre ordinateur pour réfléchir tranquillement. Voilà un excellent moyen de vous assurer que vos émotions n'embrouillent pas vos décisions.

9 Soyez maître de votre discours intérieur

Des études démontrent qu'une personne est assaillie par environ 50 000 pensées chaque jour. C'est énorme, dites-vous? Les choses ne s'arrêtent pas là… Chaque fois qu'une de ces pensées l'envahit, son cerveau produit des substances chimiques qui déclenchent nombre de réactions dans tout son corps. Par ailleurs, il existe une relation étroite entre ce qu'un personne pense et ce qu'elle ressent, tant sur le plan physique que sur le plan émotionnel.

Comme on n'arrête jamais de réfléchir, on finit par ne plus s'en rendre compte (comme c'est le cas avec la respiration), et on en vient à ne plus s'apercevoir que nos pensées dominent nos émotions, et ce, à chaque instant de la journée.

Il est impossible d'essayer de retracer toutes ses pensées et de vérifier si elles influencent favorablement ou non son état émotif. Toutefois, celles qui affectent le plus un individu l'amènent à entretenir un discours intérieur : une petite voix lui intime de conserver son calme ; elle le félicite pour un travail qu'il a bien accompli et le réprimande lorsqu'il prend une mauvaise décision.

On se parle ainsi tous les jours, et cette petite voix, qu'on appelle « discours intérieur » (ou monologue intérieur), affecte la façon qu'on a de percevoir certaines choses.

Les pensées peuvent faire jaillir certaines émotions à la surface, les enfoncer au fond de soi ou intensifier n'importe quelle expérience. Lorsque des émotions prennent quelqu'un d'assaut, ses pensées font monter ou baisser son « thermostat ». En apprenant à devenir maître de son discours intérieur, il parvient à se concentrer sur ce qui est important et à gérer efficacement ses émotions.

La plupart du temps, le discours intérieur est constructif et aide la personne tout au long de la journée (à se rappeler, par exemple, qu'elle doit se préparer pour une réunion, qu'elle a hâte de sortir le soir, etc.). Mais, s'il devient négatif, irréaliste et déprimant, il peut nuire à la maîtrise de soi. Car il entraîne alors l'individu dans une spirale d'émotions négatives qui l'empêchent d'atteindre ses objectifs.

Voici quelques moyens qui vous aideront à devenir maître de votre discours intérieur et à rendre positifs des monologues négatifs :

Remplacez les mots «toujours» ou «jamais» par «cette fois-ci seulement» ou par «parfois». Vos actions sont propres à une situation, peu importe le nombre d'erreurs que vous avez déjà commises. En considérant chaque situation comme unique et en cessant de vous reprocher la moindre erreur, vous arrêterez de dramatiser tous vos problèmes.

Remplacez des énoncés fondés sur un jugement comme «je suis un idiot» par des affirmations comme «j'ai commis une erreur». En vous attribuant toujours la même étiquette, vous ne laissez place à aucune amélioration. Les énoncés factuels sont objectifs ; ils tiennent compte de la situation et ils vous aident à vous concentrer sur des éléments que vous pouvez changer.

Acceptez d'être responsable de vos gestes, mais pas de ceux des autres. Les reproches et les discours intérieurs négatifs se complètent à merveille. Si vous vous répétez souvent «c'est entièrement ma faute» ou «c'est entièrement leur faute», vous avez tort la plupart du temps. Il est louable d'accepter la responsabilité de vos gestes, mais non de porter le fardeau d'autrui. De la même façon, si vous avec l'habitude de blâmer constamment les autres, il est temps d'assumer votre part de responsabilité.

10 Imaginez-vous en train de réussir

La visualisation mentale est une autre stratégie qui, à première vue, peut sembler trop simple pour être efficace. Pourtant, elle a un pouvoir incontestable. Il faut énormément de pratique pour acquérir une bonne maîtrise de soi. Comme nombre de situations que nous jugeons problématiques ne surviennent pas très souvent, il est difficile de former les connexions neuronales nécessaires pour que le contrôle de soi devienne naturel... à moins d'apprendre à les imaginer.

Votre cerveau a de la difficulté à distinguer ce qu'il voit avec ses yeux de ce qu'il se représente. En fait, les examens par IRM (imagerie par résonance magnétique) de cerveaux humains effectués alors que les sujets regardaient un coucher de soleil sont à peu près identiques à ceux d'individus qui se représentaient un coucher de soleil. Les mêmes régions du cerveau sont activées dans les deux cas.

Un bon moyen d'appliquer vos nouvelles habiletés pour qu'elles deviennent naturelles consiste à vous imaginer gérant vos émotions et votre comportement. Pour que cet exercice fonctionne, vous devez vous trouver dans un endroit dépourvu de distractions et vous voir entièrement dans la scène qui se joue dans votre tête. Un moment propice à cet exercice de visualisation mentale? Le soir, avant d'aller au lit. Fermez les yeux et figurez-vous être dans des situations où vous avez vraiment de la difficulté à vous contrôler. À chaque fois, concentrez-vous sur les détails qui vous empêchent de vous maîtriser; pensez à ce que vous verriez et entendriez si la scène était réelle, jusqu'à ce que vous sentiez vos émotions coutumières monter en vous. Puis, représentez-vous en train d'agir comme vous le voudriez (c'est-à-dire avec calme et confiance, pendant que vous faites un exposé oral important devant des collègues, que vous affrontez une personne qui vous irrite, etc.). Imaginez-vous en train de réaliser et de dire les bonnes choses, puis ressentez la satisfaction et les émotions favorables qui surgissent en vous. Pour bien terminer votre journée, ayez recours à cette stratégie tous les soirs et intégrez de nouvelles situations à mesure qu'elles se produisent.

11 Améliorez votre hygiène du sommeil

La maîtrise de soi exige patience, souplesse et vigilance – les trois premiers éléments qui fichent le camp lorsqu'on manque de sommeil. En dormant plus longtemps la nuit, il est possible de développer une meilleure maîtrise de soi (mais pas nécessairement). Pour garder un esprit alerte et équilibré, et pour maintenir la capacité de se concentrer, il faut surtout profiter d'un sommeil de bonne qualité. Pour y parvenir, il importe d'adopter une bonne hygiène du sommeil.

Pendant le sommeil, le cerveau recharge littéralement ses batteries en faisant le tri de tout ce qui s'est passé durant la journée pour emmagasiner certains souvenirs et en écarter d'autres (c'est la raison pour laquelle on rêve). C'est ainsi qu'on réussit à être alerte et à avoir les idées claires au moment de se réveiller. Le cerveau est très capricieux pour ce qui est du sommeil. Celui-ci est constitué d'une série de stades complexes à travers lesquels il faut passer afin d'être bien reposé au réveil.

Pour améliorer la qualité de votre sommeil, suivez les étapes suivantes :

• Le matin, sortez pour profiter de la clarté du soleil. Exposez vos yeux à la lumière (par temps nuageux aussi) durant au moins 20 minutes pour reprogrammer votre horloge biologique et mieux vous endormir le soir. Les rayons lumineux étant filtrés par les fenêtres et par les lunettes de soleil, vous devez enlever ces dernières, ouvrir la vitre de la portière de votre voiture en allant au travail ou encore trouver le temps de sortir avant l'heure du dîner.

- Éteignez votre ordinateur au moins deux heures avant d'aller au lit. L'éclairage d'un écran en plein visage tard en soirée trompe votre cerveau en lui faisant croire qu'il s'agit de la lumière du soleil; vous aurez donc de la difficulté à vous endormir, et la qualité de votre sommeil en sera réduite.

- N'utilisez votre lit que pour vous coucher. La meilleure façon de vous endormir dès que vous mettez la tête sur l'oreiller? C'est de ne pas travailler ni regarder la télé au lit. Si vous n'utilisez votre lit que pour dormir, votre organisme réagira de la bonne façon.

- Évitez la caféine, surtout en après-midi et en soirée, car elle a une demi-vie de six heures. Si vous prenez une tasse de café à 8 h, il restera encore 25 % de caféine dans votre organisme à 20 h. Or, la caféine empêche de s'endormir, d'une part, et nuit grandement à la qualité du sommeil, d'autre part. Il est préférable de l'éviter complètement ou, du moins, de n'en consommer qu'en petites quantités, et ce, uniquement le matin.

12 Concentrez-vous sur les options qui s'offrent à vous et non sur les limites que vous impose une situation donnée

« La vie n'est pas juste... on ne peut rien y faire. » Les parents ne cessent de répéter cette litanie à leurs enfants. N'oubliez jamais, cependant, qu'on a toujours le choix : le choix de décider de la façon dont on réagit à ce qui arrive. Même si on ne peut rien faire ni dire pour changer une situation difficile ou des gens, on peut toujours décider de la manière d'envisager les choses. Cela affecte ultimement ce qu'on ressent face à ce qui se produit.

Par conséquent, il ne faut pas abandonner la partie. Si vous avez l'impression de ne pas être maître des choses, analysez la manière dont vous réagissez. Si vous ne pensez qu'aux limites que vous impose la situation ou les gens concernés, vous laisserez surgir en vous des sentiments négatifs qui confirmeront votre sentiment d'impuissance. Vous devez vous tenir responsable des aspects sur lesquels vous avez un certain contrôle et vous concentrer afin de rester ouvert malgré les conditions adverses.

13 Ayez une bonne synchronie

Les agents du FBI consacrent une bonne partie de leur temps à essayer de déterminer si des suspects mentent ou disent la vérité. Ils étudient des éléments comme le langage corporel, les inflexions de la voix et le contact visuel. La synchronie – la concordance – entre le langage corporel et les émotions exprimées est le meilleur indice de la sincérité de l'individu interrogé.

La synchronie est un outil important pour les personnes qui ont une bonne maîtrise de soi. Lorsqu'on gère ses émotions, le langage corporel concorde avec la « tonalité affective » de la situation. Autrement, il est clair que les émotions triomphent, tout simplement.

Chelsea « Sully » Sullenberger, le pilote qui a fait amerrir d'urgence son avion dans le fleuve Hudson à New York en 2009, a sauvé la vie de tous les passagers à bord en faisant en sorte que son avion se pose sur l'eau dans le bon angle et à la bonne vitesse afin d'éviter qu'il se fracasse au moment de l'impact. Pour réussir cet exploit, il a su garder son sang-froid, faire taire la peur qui résonnait en lui et diriger uniquement son attention sur l'amerrissage de l'appareil. Il a empêché ses émotions de l'envahir même s'il savait que les chances de survie étaient plutôt minces.

D'accord, vous n'aurez sans doute jamais d'avion à faire atterrir d'urgence mais, comme la plupart des gens, vous vivrez certains moments où vos émotions triompheront peut-être de vous. Pour avoir une bonne synchronie, dirigez votre attention sur la tâche à effectuer et non sur l'émotion qui vous envahit.

14 Discutez avec une personne qui n'est pas émotionnellement impliquée dans votre problème

Au moment où survient un problème, le cerveau se met à réfléchir, et à trier et à analyser des données afin de décider de la meilleure action à entreprendre. Malheureusement, il ne dispose que des renseignements fournis, lesquels sont tirés de l'expérience passée et de ce qui se passe à l'instant même. Il est donc facile de s'accrocher à une seule idée et, ce faisant, de limiter grandement ses options.

Pas étonnant, donc, qu'on éprouve un immense soulagement à se confier à un tiers lorsqu'on se retrouve dans une situation perturbante. À l'utilité de pouvoir discuter avec une personne qui se soucie des sentiments qu'on éprouve s'ajoute la chance d'envisager de nouvelles perspectives.

Lorsqu'une situation difficile se produit, recherchez l'aide d'une personne en qui vous avez confiance et avec qui vous êtes à l'aise. Faites-lui part de vos idées et de vos sentiments. Son point de vue unique vous aidera à percevoir les choses différemment et à trouver de nouvelles options.

Faites toutefois preuve de discernement au moment de choisir cette personne. Elle ne devrait avoir aucun intérêt manifeste autre que le vôtre. En effet, plus votre «conseiller» est touché personnellement par la situation, plus son point de vue risque d'être teinté par ses propres besoins et sentiments. Vous devez éviter à tout prix les opinions de gens directement concernés par la situation, car ils risquent de brouiller les pistes. Évitez aussi de rechercher l'avis de quelqu'un qui sera automatiquement d'accord avec vous. Bien que son appui puisse être réconfortant, il vous empêchera d'avoir une image générale de la situation. Inversement, même si vous trouvez ennuyeux de consulter un individu qui se fait l'avocat du diable, il vous aidera à entrevoir les choses sous un nouveau jour.

15 Tirez des leçons des gens que vous rencontrez

Pensez à une conversation qui vous a immédiatement mis sur la défensive. Il s'agissait peut-être d'une critique à votre égard, d'une remise en question de vos motivations ou d'un désaccord avec un collègue. Vous étiez prêt à croiser le fer. Pourtant, aussi curieux que cela paraisse, vous avez raté la chance immense de tirer des leçons de ce que ces personnes avaient à dire. Approchez les gens que vous connaissez en pensant qu'ils ont quelque chose d'intéressant à vous enseigner : vous vous ouvrirez ainsi à de nouvelles perspectives et vous serez moins stressé.

Vous pouvez tirer des leçons de presque toutes les situations qui se produisent dans votre vie. Par exemple, supposons que vous vous rendez au travail en voiture quand un autre conducteur coupe votre voie ; pour ne rien arranger, au prochain coin de rue, il donne un violent coup de volant avant de changer de direction. Même cet idiot peut vous enseigner quelque chose : il peut, en effet, vous apprendre à avoir plus de patience avec des personnes désagréables et vous amener à vous sentir reconnaissant de ne pas être aussi pressé. Difficile de se mettre en colère – ou d'être sur la défensive ou stressé – lorsqu'on se donne la peine de tirer des leçons du comportement des autres…

La prochaine fois que vous serez pris au dépourvu ou que vous vous retrouverez sur la défensive, profitez de l'occasion pour tirer une leçon de la situation. Grâce au comportement ou aux commentaires d'un tiers, vous apprendrez à vous maîtriser.

16 Intégrez dans votre horaire des activités qui vous aident à recharger vos batteries mentales

Les bienfaits de l'exercice physique sont évidents ; il y aura toujours un article de magazine, un ami ou un médecin pour vous le rappeler et pour vous exhorter à en faire. Le sport et toute autre forme de relaxation sont cruciaux pour le corps et aussi pour l'esprit. Si vous voulez devenir un expert de la maîtrise de soi, vous devez mettre toutes les chances de votre côté ; étonnamment, la façon dont vous traitez votre corps compte aussi.

En faisant des efforts pour rester physiquement en santé, vous procurez en même temps à votre esprit une pause presque aussi importante que le sommeil. Celle-ci permet à votre cerveau de se reposer et de se recharger. Bien qu'une activité physique intense soit idéale, d'autres formes de relaxation et d'entraînement sont bénéfiques pour l'esprit. Le yoga, le massage, le jardinage ou une petite promenade dans le parc sont de bons moyens de permettre au cerveau de respirer. Ces activités libèrent des substances chimiques dans le cerveau, telles que la sérotonine et les endorphines, qui contribuent à recharger vos batteries, et vous aident à rester heureux et alerte. Elles renforcent aussi les sections du cerveau responsables de la prise de décisions, de la planification, de l'organisation et de la pensée rationnelle.

Pour la majorité des gens, la plus grande difficulté est de trouver le temps d'intégrer l'exercice physique dans leur horaire de la journée. Ils ont tendance à le placer au bas de la liste de leurs priorités en laissant leur travail, leur famille et leurs amis les accaparer. Au lieu d'attendre le moment propice (qui ne se présentera jamais) pour vous adonner à des activités sportives, donnez-vous la peine de reconnaître l'importance de recharger vos batteries mentales, et vous parviendrez à inclure des exercices dans votre programme de la semaine. Voilà une belle occasion d'améliorer votre maîtrise de soi.

17   Acceptez les changements

Personne ne possède de boule de cristal capable de prédire l'avenir. Puisqu'il est impossible de savoir d'avance à quels changements et à quels obstacles on se heurtera, on doit apprendre à s'adapter aux changements *avant* que ceux-ci se produisent.

Vous devez vous préparer aux changements. Bien sûr, il ne s'agit pas d'un jeu où l'on tente de deviner ce qui va arriver, mais plutôt d'un exercice de réflexion sur les conséquences de certains changements ; cela aide à ne pas être pris au dépourvu si certains surviennent vraiment. Vous devez aussi accepter que vous ne contrôlez même pas les facettes les plus stables et les plus sûres de votre vie. Les gens changent, les entreprises connaissent des hauts et des bas, et rien n'est permanent.

Lorsque vous vous donnez la chance d'anticiper un changement et de comprendre les options qui s'offriront alors à vous, vous évitez de vous enliser dans des émotions fortes comme l'horreur, la surprise, la peur et la déception. Bien sûr, de telles émotions risquent de se manifester si vous devez vraiment faire face à certains bouleversements ; mais, en acceptant le fait que ceux-ci font partie de la vie, vous apprenez à vous concentrer et à réfléchir de manière rationnelle. C'est nécessaire pour tirer parti d'une situation désagréable, indésirable ou imprévue.

La meilleure façon de mettre cette stratégie en application ? Prenez quelques instants, chaque semaine ou toutes les deux semaines, pour dresser une liste des changements importants qui *pourraient* survenir, selon vous, et que vous aimeriez être prêt à affronter. Laissez assez de place sur la feuille pour noter toutes les actions que vous pouvez entreprendre si jamais ils se produisent. Notez aussi les gestes que vous pouvez poser dès maintenant pour vous préparer à y faire face. Quels signes peuvent indiquer qu'un bouleversement est sur le point de survenir ? Que pouvez-vous faire pour vous y préparer et pour parer le coup ?

Même si les changements inscrits dans votre liste ne se produisent jamais, vous apprendrez à devenir une personne plus souple et ouverte en les anticipant et en sachant comment vous y réagiriez.

7

Les stratégies pour développer la conscience sociale

Un collègue s'approche de vous et devine votre état d'esprit sans que vous prononciez le moindre mot. Il semble « voir » dans votre visage que la réunion à laquelle vous venez d'assister n'a pas fonctionné aussi bien que prévu. Il sait qu'il est préférable de vous laisser tranquille et de ne pas vous présenter sa demande. Il sait se fier à son instinct.

Ou encore, une serveuse semble « deviner » ce dont chacun de ses clients a besoin : un couple préfère ne pas être dérangé, alors qu'un autre apprécie un brin de conversation avec elle et qu'une troisième tablée désire simplement un service professionnel et poli, sans papotage. Tout ce beau monde vient au restaurant pour manger, boire et se faire servir. Pourtant, au-delà des apparences, chaque client est unique. Comment la serveuse s'y prend-elle pour évaluer rapidement les besoins de chacun ?

Ce collègue et cette serveuse perspicaces ont un niveau de conscience sociale élevé, une aptitude qui les aide à reconnaître et à saisir l'état d'esprit d'autres personnes et de groupes entiers. Même s'ils semblent être des experts naturels en la matière, ils ont appris à développer cette habileté et à la mettre en pratique avec le temps.

La conscience sociale amène non pas à regarder à l'intérieur de soi-même pour mieux se comprendre, mais à porter son regard vers l'extérieur pour découvrir et apprécier les autres. Elle se traduit par la capacité à reconnaître et à comprendre les émotions des autres. En étant à l'écoute des autres lorsqu'on interagit avec eux, on réussit à avoir une idée précise de ce qui se passe autour de soi.

Pour améliorer votre conscience sociale, vous devez observer votre entourage dans toutes sortes de situations : vous pouvez examiner quelqu'un de loin lorsque vous êtes dans une file d'attente ou encore étudier de près la personne avec qui vous vous entretenez. Vous apprendrez ainsi à remarquer leur langage corporel, leurs expressions faciales, leur attitude, le ton de leur voix et même ce qui se cache sous les apparences, soit les émotions et les pensées.

À mesure que vous développerez une conscience sociale aiguë, vous vous rendrez compte que les émotions, les expressions faciales et le langage corporel se traduisent à peu près de la même façon d'une culture à l'autre. Cette habileté peut donc vous servir quel que soit l'endroit où vous vous trouvez.

Par ailleurs, il faut que la lentille à travers laquelle vous déchiffrez le monde soit bien claire. Pour développer votre conscience sociale, vous devez vous assurer de prêter une attention intense à l'autre. Pour porter votre regard vers les autres, vous ne devez pas utiliser uniquement vos yeux, mais faire appel également à vos sens. Ces derniers comprennent, bien sûr, vos cinq sens de base, ainsi qu'un sixième : les émotions. Celles-ci transmettent au cerveau un vaste éventail d'informations. Elles font remarquer et interpréter toutes sortes d'indices transmis par les gens. Ces indices vous aident à vous mettre à la place d'autrui.

Au moment de développer votre conscience sociale, vous ferez face à certains obstacles. Les 17 stratégies de ce chapitre vous amèneront à les cerner et vous fourniront toutes sortes de conseils pour les surmonter. Il est important de capter les bons signaux que les autres lancent, et c'est ce que les stratégies suivantes vous aideront à faire.

Liste des stratégies

1. Saluez les gens par leur nom
2. Soyez attentif au langage corporel
3. Ayez un bon *timing*
4. Gardez en réserve une question passe-partout
5. Ne prenez pas de notes durant les réunions
6. Préparez-vous aussi aux réunions mondaines
7. Ne vous laissez pas distraire
8. Vivez le moment présent
9. Prenez 15 minutes pour faire le tour de votre lieu de travail
10. Observez l'intelligence émotionnelle des acteurs de cinéma
11. Pratiquez l'art d'écouter
12. Prenez le temps d'observer les autres
13. Comprenez les règles culturelles
14. Vérifiez la justesse de vos observations
15. Mettez-vous dans la peau de votre interlocuteur
16. Dressez un portrait complet de vous
17. Jaugez l'état d'esprit qui règne dans la pièce

···

1 Saluez les gens par leur nom

On vous a peut-être attribué le même prénom qu'un ami ou qu'un membre spécial de votre famille ; ou encore, on vous donne peut-être un surnom qui abrège votre long nom de famille... Quelle que soit l'histoire derrière votre nom, celui-ci est un aspect important de votre identité. Vous aimez que les gens s'en souviennent et qu'ils vous appellent par votre nom.

> Quelle que soit l'histoire derrière votre prénom, celui-ci est un aspect important de votre identité. Vous aimez que les gens s'en souviennent et qu'ils vous appellent par votre nom.

En matière de conscience sociale, saluer les personnes par leur nom est une stratégie de base des plus efficace. Il s'agit d'un moyen personnel d'aborder autrui. Si vous avez tendance à vous isoler lorsque vous êtes en société, apprenez à saluer par leur nom les gens qui vous entourent : il s'agit d'un moyen invitant et chaleureux de faire tomber les barrières et d'engager la conversation. Vous êtes à l'aise en société ? Cette stratégie est aussi bonne.

Il ne suffit pas, toutefois, de saluer les autres par leur nom ; il faut aussi veiller à le garder à l'esprit par la suite. Vous avez une bonne mémoire des visages, mais vous ne réussissez jamais à vous remémorer le nom d'un individu 30 minutes après l'avoir entendu ? Au cours des semaines suivantes, prenez l'habitude de dire : « Bonjour, [nom] » à quelqu'un qui se trouve dans la pièce où vous entrez et aux gens qu'on vient de vous présenter. La capacité de se rappeler les noms relève d'un exercice mental ; il faut donc s'entraîner à y parvenir. Si un nom vous semble peu familier, demandez à votre interlocuteur de l'épeler afin que vous puissiez vous en représenter la forme écrite. Cela vous aidera à vous en souvenir par la suite. Faites en sorte de l'utiliser deux fois au cours de la conversation.

En saluant les gens par leur nom, non seulement vous reconnaissez leur importance, mais vous entrez aussi en interaction avec eux, et pas seulement de manière superficielle. En vous donnant l'objectif de vous rappeler le nom des personnes qu'on vous présente, vous vous concentrez sur elles, ce qui contribue à améliorer votre conscience sociale.

2 Soyez attentif au langage corporel

Demandez aux professionnels du poker ce qu'ils étudient avec le plus d'attention chez leurs adversaires ; ils vous répondront qu'ils cherchent le moindre changement de comportement pouvant indiquer que leurs vis-à-vis ont une belle main. Ils sont donc attentifs à leur attitude, aux mouvements de leurs yeux et de leurs mains, ainsi qu'à leur expression faciale. Un joueur sûr de lui, mais affichant une attitude de défi, bluffe souvent, alors qu'un autre qui se tient coi peut sortir une quinte royale. Pour les professionnels du poker, la capacité de bien analyser le langage corporel est souvent ce qui fait la différence entre gagner la mise et partir les mains vides. Ils doivent donc développer une excellente conscience sociale.

Il est tout aussi important pour le commun des mortels d'apprendre à devenir des as du langage corporel, car cette habileté permet de découvrir ce que les autres ressentent et de choisir la façon d'y réagir. Pour bien comprendre une personne, il faut analyser les signaux dégagés par tout son corps.

Commençons par la tête et le visage : les yeux en disent plus que toute autre partie du corps. Ils communiquent toutes sortes d'informations – prenez garde, toutefois, de ne pas les fixer indûment. Le contact visuel aide à juger si une personne est digne de confiance, sincère et attentionnée. Des yeux fuyants ou qui clignotent constamment peuvent être le signe d'une tromperie. Les gens qui bougent modérément les yeux tout en restant attentifs à leur interlocuteur sont généralement sincères et honnêtes.

Examinons ensuite le sourire. Est-il franc ou forcé ? Les experts peuvent percevoir la différence entre les deux. S'ils ne voient aucun pli au coin des yeux, le sourire est probablement factice. Les véritables sourires transforment rapidement toute la physionomie du visage.

Passons à présent aux épaules, au torse et à tous les membres. Les épaules sont-elles tombantes ou naturellement droites? Les bras, les mains, les jambes et les pieds sont-ils immobiles ou remuent-ils constamment? Le corps communique sans arrêt toutes sortes d'informations. Surveillez donc son langage au cours de réunions avec vos collègues, de rencontres avec vos amis ou lorsqu'on vous présente un étranger. Une fois que vous serez à son écoute, ses messages vous apparaîtront clairement, et vous relèverez des indices vous permettant de savoir si une personne vous leurre ou non.

3 Ayez un bon *timing*

Vous avez sans doute déjà entendu l'adage «tout est dans le *timing*». Quand il est question d'humains et d'émotions, le moment choisi est vraiment important. En effet, pas question de solliciter une augmentation de salaire lorsque votre entreprise va mal, ni de faire des reproches à un proche qui se sent trahi par vous, ni de demander un privilège à une personne très en colère ou stressée…

En matière de conscience sociale, pour vous habituer à avoir un bon *timing*, vous devez commencer par poser des questions. L'objectif est de poser les bonnes questions au moment propice, en tenant compte de votre interlocuteur et de son état d'esprit.

Par exemple, supposons que vous soyez avec une collègue qui vous parle de son conjoint. Très émotive, elle s'interroge sur son mariage. Qu'arriverait-il si, en réponse à ses confidences, vous lui lanciez: «As-tu des idées à proposer au sujet du projet X?» Elle vous fixerait d'un air absent. Son visage s'allongerait. La conversation prendrait immédiatement fin.

Dans cet exemple, le *timing* était mauvais: votre question n'avait pas sa place, et vous n'avez pas respecté l'état d'esprit de votre collègue. Bien sûr, vous avez cherché à savoir ce qui *vous* convenait à un moment que vous trouviez opportun ; mais ce moment n'était pas propice pour votre collègue, qui, elle, n'était pas dans un état d'esprit favorable pour vous répondre. Rappelez-vous donc que le *timing* doit être bon non pas pour vous, mais pour la personne qui vous fait face. La bonne question à poser aurait été : « Puis-je faire quelque chose pour toi ? » Votre collègue aurait apprécié votre intérêt à son égard et elle aurait sans doute réussi à retrouver son calme. Puis, vous auriez gentiment pu lui demander ce que vous vouliez, même si le *timing* n'était peut-être pas encore idéal.

Lorsque vous vous exercez à avoir un bon *timing*, rappelez-vous qu'il est essentiel de vous concentrer sur les autres et non sur vous.

4 Gardez en réserve une question passe-partout

Les conversations prennent parfois un tour imprévu. Un interlocuteur peut ne pas être très loquace, voire s'en tenir à répondre oui ou non aux questions qu'on lui pose. Un silence de 10 secondes a parfois l'air d'une éternité et met véritablement mal à l'aise. Dans de tels cas, il importe de réagir rapidement. Pourquoi ne pas sortir une question passe-partout ?

Vous pouvez en préparer une, que vous sortirez de votre manche pour briser un silence oppressant ou pour mettre fin à un moment embarrassant. Cette stratégie, qui a trait à la conscience sociale, vous aidera à gagner du temps, à mieux connaître la personne qui vous fait face ou à lui montrer que vous vous intéressez à ce qu'elle pense et ressent. Il pourrait s'agir d'une question comme : « Que penses-tu de [telle chose] ? » Choisissez un sujet lié au travail ou à l'actualité, mais évitez tout ce qui touche à la politique, à la religion et à d'autres questions délicates.

Quelqu'un qui est à l'aise saura exactement à quel moment sortir de sa manche sa question passe-partout ; par exemple, pour relancer une conversation lorsqu'il sent que le moment n'est pas encore venu d'abandonner la partie. Ne vous tracassez pas si vous avez l'air de changer abruptement de sujet : si votre question ranime la conversation, vous aurez bien fait. Mais si l'échange est vraiment forcé, c'est qu'il est peut-être temps d'inviter un autre individu à se joindre à vous ou de vous éloigner en prétextant que vous allez remplir votre verre.

5 Ne prenez pas de notes durant les réunions

On nous martèle l'idée que, pour réussir, il faut apprendre à jongler avec une charge de travail toujours plus lourde. Plus vous jonglez, plus vous croyez réussir, pas vrai? Au contraire! Étant donné que le cerveau est incapable de bien exécuter plusieurs choses à la fois, la multiplicité des tâches oblige à sacrifier la qualité du travail exécuté.

Disons que vous assistez à une réunion où les participants expriment différentes idées en expliquant les pour et les contre de chacune. Bien que quelqu'un soit en train de les écrire au tableau, vous préférez prendre vos propres notes pour vous assurer de ne rien rater. Soudainement, la voix d'Olivier s'élève, et il s'ensuit un échange virulent entre Mélissa et lui. Vous passez vos notes en revue en vous demandant quelle est la cause de ce revirement. Que s'est-il passé? Vous avez simplement raté certains détails cruciaux.

En vous concentrant sur votre prise de notes, vous avez manqué des indices déterminants, ce qui vous a empêché de saisir ce que les autres participants pensaient ou ressentaient. Pour avoir une vue d'ensemble d'une situation, il faut pouvoir observer les autres sans se laisser distraire par le téléphone, les courriels, les prises de notes, etc. La conscience sociale est une habileté dont l'objectif principal est d'amener à reconnaître et à comprendre ce que les autres pensent et ressentent. Pour y parvenir, vous devez concentrer votre attention sur eux.

> En vous concentrant sur votre prise de notes, vous avez manqué des indices déterminants, ce qui vous a empêché de saisir ce que les autres participants pensaient ou ressentaient.

Les réunions sont un merveilleux laboratoire pour observer les autres. L'auditoire est captif, et il ne peut généralement pas se laisser distraire par le téléphone et par les courriels. Toutefois, les stylos, eux, s'agitent. Au cours de la prochaine réunion à laquelle vous assisterez, ne prenez pas de notes. Observez plutôt le visage des personnes présentes et notez leurs expressions. Établissez un contact visuel avec les individus qui parlent. Vous vous concentrerez ainsi davantage sur les autres, et vous remarquerez des détails auxquels il est impossible de s'intéresser lorsqu'on a un stylo et du papier à la main.

Bien sûr, dans certains cas, il est essentiel de prendre des notes. Mais vous ne devez pas vous imposer cette tâche à chaque réunion. Si vous devez le faire pour des raisons pratiques, donnez-vous la peine de vous arrêter de temps en temps pour observer ce qui se passe autour de vous.

6 Préparez-vous aussi aux réunions mondaines

Imaginez que vous avez été invité à souper chez des amis. Vous avez oublié d'apporter le pain que vous aviez promis d'acheter à la boulangerie. Vous passez au moins 10 minutes à vous en vouloir de cet oubli et 15 autres minutes à vous faire taquiner par vos amis à ce sujet. Au moment de faire démarrer votre voiture après la soirée, vous vous rappelez brusquement que vous vouliez demander à Jacques sa carte de visite pour l'appeler et lui parler d'un projet de marketing. Mais l'incident du pain vous a distrait. En plus, Catherine semblait abattue ce soir, mais vous ne lui avez pas posé de questions. Vous vous dites que vous auriez dû chercher à savoir ce qui n'allait pas.

Cette soirée était prévue, mais vous y étiez-vous préparé ? Il est bon de se préparer à n'importe quelle situation, qu'il s'agisse d'une sortie entre amis ou d'une réunion de travail. Avec un plan en main, vous libérez votre esprit pour vous concentrer sur le moment présent.

La prochaine fois que vous serez convié à un repas, pensez-y : sur une fiche, dressez la liste des personnes présentes, notez les points dont vous voulez discuter avec chacune et relevez les tâches que vous devez accomplir en prévision de l'invitation. Ne vous gênez pas : gardez votre liste avec vous !

Reprenons maintenant le scénario précédent mais, cette fois-ci, supposons que vous ayez un plan. À votre arrivée, vous remettez à l'hôtesse le pain promis [point coché sur la liste]. En voyant Jacques dans la cuisine, vous allez vers lui pour jaser un peu et lui demander sa carte de visite [point coché]. Vous remarquez ensuite (et non sur le chemin du retour) que Catherine n'a pas l'air en forme. Vous la prenez à part et lui demandez si elle a besoin de parler. Elle apprécie votre geste, vous sourit et vous fait part de son problème. Ensuite, vous revenez vers le groupe et vous profitez entièrement du repas qui vous est servi.

Un peu de planification prépare à une soirée et aide à en profiter davantage, puisqu'on est moins stressé et plus présent.

7 Ne vous laissez pas distraire

Une personne ayant une bonne conscience sociale doit être là pour les autres ; elle doit donc éliminer toute source de distraction, particulièrement dans sa tête. Les « distractions intérieures » se comparent au fouillis qui encombre un garage ou une garde-robe : on amasse parfois tellement d'objets que, même si certains sont utiles, on a de la difficulté à les retrouver. La solution : faire le ménage et ne pas se laisser distraire.

Différentes choses peuvent distraire. Tout d'abord, on ne cesse de se tenir des discours intérieurs. Ces monologues sont si présents qu'on fait la sourde oreille au monde environnant, ce qui est contre-productif quand il est question de conscience sociale. Ensuite, on a souvent la fâcheuse habitude de préparer mentalement la réponse qu'on va donner à son interlocuteur alors même qu'il n'a pas fini de parler. Cela aussi est contre-productif : difficile, en effet, de s'écouter tout en écoutant pleinement l'autre !

Voici quelques conseils qui vous aideront à ne pas vous laisser distraire. Lorsque vous discutez avec une autre personne, ne l'interrompez pas. Puis, prenez conscience de votre petite voix intérieure qui prépare sa réponse et forcez-la à se taire. Dirigez ensuite votre attention sur le visage et les propos de votre interlocuteur. Si nécessaire, penchez-vous vers lui pour que tout votre corps soit à l'écoute. Ces petits gestes conscients vous feront progresser, alors qu'auparavant vous ne vous rendiez même pas compte des efforts à fournir pour vous concentrer sur autrui.

Rappelez-vous que vous devez écouter la conversation pour apprendre quelque chose et non pour chercher à impressionner votre interlocuteur en lançant des remarques intéressantes. Plus vous prendrez conscience de vos distractions intérieures et plus vous veillerez à les empêcher de détourner votre attention, plus la qualité de votre écoute s'améliorera.

8 Vivez le moment présent

Les enfants savent vraiment vivre le moment présent. Un petit ne pense pas à ce qui s'est produit la veille ni à ce qu'il fera plus tard dans la journée. À cet instant-ci, il est Superman et, pendant qu'il lutte contre les méchants, rien d'autre ne compte…

Les adultes, en revanche, s'inquiètent du passé (« Oh, je n'aurais jamais dû faire cela ! ») et s'en font pour l'avenir (« Comment vais-je réussir à régler telle chose demain ? »). Il est impossible de se concentrer sur l'immédiat si l'avenir et le passé accaparent constamment l'esprit. La conscience sociale est une habileté qui exige qu'on vive le moment présent, comme le font naturellement les enfants, afin qu'on remarque sur-le-champ ce qui arrive aux autres.

> **Bien sûr, il est important de réfléchir au passé et de planifier l'avenir, mais ne le faites pas à un moment qui nuit à ce que vous vivez actuellement.**

Prenez l'habitude de vivre le moment présent ; vous réussirez ainsi à accroître votre conscience sociale. À partir d'aujourd'hui, lorsque vous serez au gym, *soyez* au gym. Lorsque vous assisterez à une réunion, soyez-y entièrement. Peu importe où vous allez, concentrez-vous pleinement sur l'instant présent et soyez attentif aux autres. Si vous vous rendez compte que votre esprit vagabonde, revenez à la réalité. Bien sûr, il est important de réfléchir au passé et de planifier l'avenir, mais ne le faites pas à un moment qui nuit à ce que vous vivez actuellement.

9 Prenez 15 minutes pour faire le tour de votre lieu de travail

Ne dit-on pas que ce n'est pas la destination qui compte, mais le voyage ? Les individus qui ont une bonne conscience sociale sont capables de profiter des voyages et de remarquer les gens qu'ils rencontrent en cours de route. Lorsque vous ne pensez qu'à la prochaine réunion, qu'à votre prochain cours, qu'à votre prochain patient, qu'à votre prochain client ou qu'au prochain courriel que vous devez transmettre, vous négligez toutes les personnes entre le point A et le point B.

Prenez le temps de faire le tour des installations où vous travaillez et de remarquer ce qui vous entoure. Vous apprendrez ainsi à mieux comprendre vos collègues et leurs émotions ; vous réussirez aussi à concentrer votre attention sur de petits détails qui ont leur importance.

Au boulot, prenez 15 minutes pour observer des choses que vous n'aviez encore jamais relevées : par exemple, l'espace de travail de vos compagnons et l'atmosphère qui s'en dégage, leur horaire et leurs déplacements. Voyez aussi quelles personnes aiment interagir avec les autres et lesquelles restent à leur poste toute la journée.

Refaites le même exercice un autre jour ; cette fois-ci, penchez-vous sur l'humeur de vos collègues. Vous comprendrez ainsi comment vont les choses, tant sur le plan individuel que sur le plan collectif. Notez ce que les gens ressentent et ce que vous ressentez lorsque vous vous arrêtez pour leur parler quelques instants. Remarquez aussi l'état d'esprit qui règne à votre emploi, qu'il s'agisse d'un bureau, d'une école, d'un hôpital ou d'une usine. Concentrez-vous sur ce que vous voyez, entendez et ressentez.

Prenez 15 minutes pour faire le tour des lieux deux fois par semaine pendant un mois. Évitez, toutefois, de formuler trop d'hypothèses ou de tirer trop de conclusions. Contentez-vous de noter ce qui se passe. Vous serez étonné de tout ce que vous constaterez en cours de route.

10 Observez l'intelligence émotionnelle des acteurs de cinéma

Hollywood : capitale mondiale du prestige, du glamour et de la célébrité. Mais, croyez-le ou non, c'est aussi un laboratoire où observer l'intelligence émotionnelle et ainsi développer sa conscience sociale.

Après tout, la fiction est un reflet de la réalité, n'est-ce pas ? Les films — une source inépuisable d'habiletés en matière d'intelligence émotionnelle — montrent plein de comportements à imiter ou à éviter. Les grands acteurs ont, d'ailleurs, le talent d'exprimer différentes émotions, ce qui rend leurs personnages d'autant plus vrais.

Pour améliorer votre conscience sociale, vous devez vous exercer à vous sensibiliser à ce qui arrive aux autres ; vous pouvez le faire avec des personnes réelles ou avec des héros de cinéma. Dans le dernier cas, regardez un film avec l'intention de noter certaines compétences sociales. La situation n'étant pas réelle, vous n'aurez pas à vous impliquer sur le plan affectif et vous vous laisserez donc moins distraire. Au lieu de dépenser votre énergie mentale à vous demander quoi faire, vous pourrez l'utiliser pour observer les personnages.

Au cours du prochain mois, donnez-vous la peine de regarder deux films dans le but précis d'étudier les interactions, les relations et les différends entre les personnages. Attardez-vous au langage corporel de ceux-ci pour déterminer ce que chacun d'eux ressent et pour voir comment il s'y prend pour résoudre les conflits. Revoyez des scènes particulières et repérez certains indices que vous pourriez avoir ratés la première fois. Voilà une stratégie des plus efficace et agréable pour vous préparer à améliorer votre conscience sociale avec de vraies personnes.

11 Pratiquez l'art d'écouter

Ce conseil élémentaire peut sembler inutile. Pourtant, savoir écouter est une habileté qui se perd de nos jours. La plupart des gens croient être capables de le faire, mais il y a fort à parier que, s'ils se prêtaient au « jeu du téléphone », le message final différerait du message initial. Pour écouter, il faut se concentrer ; cela est loin d'être facile, car les pensées ont tendance à aller dans toutes sortes de directions.

Il ne suffit pas d'entendre des mots pour être à l'écoute ; il faut aussi être attentif au ton et au volume de la voix, et à la vitesse d'élocution de l'interlocuteur. Que dit-il ? Que tait-il ? Quel message implicite véhicule-t-il ? Par exemple, un présentateur peut utiliser des mots percutants dans un exposé sans que le ton de sa voix et sa vitesse d'élocution correspondent à la vigueur de sa présentation ; ses paroles sont alors le reflet de son état d'esprit.

Voici la stratégie à mettre en pratique : lorsqu'une personne vous parle, arrêtez tout ce que vous faites et prêtez une oreille attentive à ses propos jusqu'à ce qu'elle ait terminé. Ne rédigez aucun courriel pendant que vous êtes au téléphone. Éteignez votre ordinateur lorsque votre fils vous pose une question et regardez-le pendant que vous lui répondez. Lorsque vous êtes à table avec votre famille, éteignez le téléviseur et suivez la conversation en cours. Lorsqu'un collègue vient vous parler, fermez la porte et assoyez-vous près de lui pour mieux vous concentrer sur ses propos. Ces moyens tout simples vous aideront à vivre le moment présent, à bien saisir les indices que vous transmet votre interlocuteur et à entendre véritablement ce qu'il vous dit.

12 Prenez le temps d'observer les autres

Nous aspirons parfois à tout arrêter et à laisser la terre tourner sans nous. Eh bien ! appliquez cette stratégie en vous laissant aller à observer les autres. Lorsque vous êtes au café du coin, regardez les personnes qui entrent et qui sortent ; dans la rue, suivez des yeux les couples qui se promènent en se tenant la main. Il s'agit là d'une des meilleures façons d'améliorer sa conscience sociale.

En prenant le temps d'observer les autres, vous constaterez quel est leur état d'esprit. Notez comment ils interagissent au café, au supermarché ou dans d'autres endroits publics, ainsi que la vitesse à laquelle ils se déplacent. Même si vous les regardez de loin, essayez de comprendre leur langage corporel, ou encore de recueillir des indices non verbaux permettant de déterminer ce qu'ils pensent ou ressentent.

L'observation est un moyen simple de saisir les signaux que transmettent les autres, de remarquer comment ceux-ci interagissent et de déterminer leurs motivations ou leurs émotions sans entrer vous-même en scène. Il n'est pas toujours facile de cerner l'état d'esprit et les émotions des autres mais, si vous parvenez à le faire, vous aurez développé des éléments importants de la conscience sociale. Au cours de la prochaine semaine, allez au café du coin, commandez votre boisson préférée et installez-vous confortablement : c'est la meilleure façon d'exercer votre conscience sociale.

....

13 Comprenez les règles culturelles

La conscience sociale ne se limite pas à la capacité de saisir les signaux que les autres transmettent et qui permettent d'appréhender leur état émotif. Disons que vous commencez un nouvel emploi. Pour réussir, il vous faut déchiffrer la culture de l'entreprise. Supposez que vous deviez partager le même bureau que Lac Su. Vous devez aussi apprendre comment sa culture et ses antécédents familiaux influencent ses attentes à votre égard. Vous ne pourrez interpréter ses actions et ses réactions si vous ignorez les règles du jeu.

Les règles ? Eh oui ! Pour savoir quoi dire et quoi faire en société, il faut, en effet, comprendre certaines règles. On vit dans un creuset où s'épanouissent des cultures fort différentes. Les diverses communautés interagissent, vivent et font affaire les unes avec les autres en suivant des normes très précises. Pas moyen d'y échapper : il faut les connaître pour développer son intelligence émotionnelle.

Pour y parvenir, on doit apprendre à traiter les autres comme ils veulent être traités et non comme on voudrait être traité. Prenez la peine de découvrir les différentes règles suivies par chaque culture. Pour vous compliquer un peu les choses, apprenez à observer et à maîtriser celles qui sont établies non seulement par différentes ethnies, mais aussi par certaines familles et entreprises.

Comment réussirez-vous à maîtriser plusieurs ensembles de règles à la fois ? Tout d'abord, donnez-vous la peine d'écouter et d'observer longuement les personnes qui ont une culture différente de la vôtre. Recueillez toutes sortes d'informations et prenez le temps de réfléchir avant de sauter aux conclusions. Faites comme si vous veniez d'arriver dans le milieu; avant d'ouvrir la bouche, remarquez comment les gens inter-agissent les uns avec les autres. Cherchez les similitudes et les différences entre vos règles de jeu et les leurs.

Ensuite, posez des questions précises. Cela peut se faire à l'extérieur de réunions officielles. Par exemple, dans bon nombre de cultures (d'entre-prise ou de pays), on considère que les repas servent à favoriser les échanges sociaux avant que les convives passent aux affaires sérieuses. Une approche sage, puisque ces interactions augmentent la conscience sociale des per-sonnes présentes et les préparent à bien respecter les règles du jeu.

14 Vérifiez la justesse de vos observations

Même les as de la conscience sociale ont parfois de la difficulté à déco-der certains signaux. Ils peuvent mal saisir ce qui se passe s'il y a trop d'interférence ou d'activité dans la pièce. Ou encore, ils peuvent avoir besoin de valider leurs observations même s'ils ont une bonne idée de la situation. Dans de tels cas, voici la meilleure stratégie pour obtenir les réponses nécessaires: il suffit de poser des questions.

Ne craignez rien: il n'y a pas de questions stupides. Que vous soyez un novice ou un expert en matière de conscience sociale, dites-vous qu'il est normal de vouloir confirmer certaines de vos constatations et que la meilleure façon de procéder, c'est de demander si ce que vous pensez est fondé.

Par exemple, à votre arrivée au travail, vous remarquez que Stéphane a l'air maussade. Lorsque vous lui demandez comment il va, il vous ré-pond que tout va bien. Ce que vous avez relevé vous incite pourtant à croire que ce n'est pas le cas. Pour clarifier la situation, vous pouvez lui poser une question neutre, comme: «On dirait que ça ne va pas. T'est-il arrivé quelque chose?» En reprenant ce que vous voyez («On dirait que ça ne va pas. ») et en posant une question directe (« T'est-il arrivé quelque chose ? »), vous l'invitez à vous confier ce à quoi il est prêt pour l'instant, mais surtout vous lui montrez que vous vous intéressez à lui.

Vous pouvez aussi miser sur le non-dit pour vérifier la justesse de vos observations. Une personne incapable d'exprimer ouvertement et directement ce qu'elle ressent peut, à la place, donner certains « indices ». Si vous vous sentez à l'aise, vous pouvez l'interroger et avoir ainsi la chance de vérifier si vous avez bien compris les indices, ou si vous avez sauté trop vite aux conclusions, ou encore si vous avez fait erreur.

En vérifiant vos observations, vous en viendrez à mieux comprendre toutes sortes de situations et à repérer des signes pas toujours évidents. Si vous ne posez aucune question, vous ne pourrez jamais être certain de la justesse de vos pensées.

15 Mettez-vous dans la peau de votre interlocuteur

Les acteurs gagnent leur vie en se mettant dans la peau de leurs personnages. Ils vivent les mêmes émotions et sentiments qu'eux, et ils s'imprègnent de leur état d'esprit et de leurs motivations. Voilà pourquoi les grands comédiens sont capables de jouer de manière convaincante des êtres tout à fait dysfonctionnels. Une fois la production terminée, ils affirment souvent qu'ils ont fini par apprécier les personnages incarnés même si ces derniers étaient monstrueux.

Se mettre dans la peau de l'autre est pour tout le monde, et pas seulement pour les acteurs, une excellente façon d'exercer sa conscience sociale. Tous les gens qui veulent mieux comprendre les autres ou les voir sous un jour différent, améliorer leur aptitude à communiquer et cerner des problèmes avant qu'ils n'empirent tireront profit de cette stratégie. Si vous croyez ne pas en avoir besoin, pensez à la fois où vous vous êtes dit que vous auriez tellement aimé avoir su que telle ou telle personne n'allait pas bien ! N'aurait-il pas été préférable que vous vous rendiez compte *à temps* qu'elle éprouvait des difficultés ?

Pour mettre cette stratégie en pratique, vous devez vous demander ce que vous feriez si vous étiez à la place d'un individu. Disons que, au cours d'une réunion, quelqu'un met Jocelyn sur la sellette en l'interrogeant sur un projet qui a connu certains problèmes. Vous avez l'impression que, si vous aviez dû y répondre vous-même, vous auriez été sur la défensive. Rappelez-vous, toutefois, qu'il n'est pas question de vous dans cette situation, mais de Jocelyn. Mettez de côté vos croyances, vos émotions, vos idées, et vivez la situation comme si vous étiez Jocelyn. Demandez-vous ceci : « Si j'étais lui, comment réagirais-je à cette question ? » Pour y répondre, servez-vous de ce que vous savez à son sujet ; pensez à la façon dont il a réagi dans le passé à des situations similaires, à la façon dont il s'en sort lorsqu'il est sur la sellette et à la manière dont il agit en groupe ou en tête-à-tête. Qu'a-t-il l'habitude de dire et de faire ?

Pour vérifier si vous avez visé juste, allez voir Jocelyn après la réunion et, si vous êtes à l'aise avec lui, faites-lui part de vos réflexions. Si vous n'êtes pas à l'aise à l'idée d'aller le rencontrer, exercez-vous en vous mettant dans la peau d'une autre personne qui se trouve dans une autre situation. Plus vous vous exercerez et demanderez à votre interlocuteur de confirmer vos idées, moins vous serez gêné de vous mettre à la place des autres.

16   Dressez un portrait complet de vous

Comme on a tendance à se voir à travers des lunettes roses, on risque souvent de tenir compte de certains aspects seulement de sa personnalité. Si vous en aviez l'occasion, aimeriez-vous vous voir à travers les yeux des personnes qui vous connaissent le mieux ? En matière de conscience sociale, il est crucial d'avoir ce regard extérieur, car il permet de savoir comment on est perçu par les autres ; on obtient ainsi un portrait complet de soi.

Vous devez avoir une bonne dose de courage et de force pour demander aux gens qui vous aiment le plus et le moins de vous dire franchement l'opinion qu'ils ont de vous. Après tout, ils pourraient bien se tromper ou être trop durs. Mais s'ils avaient raison ?

Quelles que soient les perceptions des autres, elles comptent beaucoup, car l'opinion que ceux-ci ont de vous exercera une grande influence sur votre vie et sur vous. Supposons, par exemple, que les gens jugent que vous êtes passif aux réunions, parce que vous n'ouvrez pas souvent la bouche, alors que vous avez simplement besoin de prendre le temps de réfléchir avant de parler en public. Leur perception pourrait vous nuire et vous empêcher de profiter de certaines occasions. Votre patron pourrait ne pas vous offrir de présider un comité tout simplement parce que, au lieu de savoir que vous êtes une personne réfléchie, il se dit que vous êtes passif.

La meilleure façon de savoir comment les autres vous considèrent est simple et efficace. En matière d'intelligence émotionnelle, il suffit de leur remettre un questionnaire dans lequel ils devront indiquer vos forces et vos faiblesses en matière de conscience de soi, de maîtrise de soi, de conscience sociale et de gestion des relations. Remplissez aussi ce questionnaire. Toutes ces réponses vous donneront une idée complète de vos perceptions et de celles des autres. Curieusement, vous constaterez que ce que les autres pensent de vous est souvent plus exact que ce que vous pensez de vous-même. Mais, quels que soient les résultats, il est important de savoir quelle idée ils se font de vous.

Rassemblez donc tout votre courage et demandez aux autres de vous aider à mieux vous comprendre en dressant un portrait plus complet de vous-même.

17 Jaugez l'état d'esprit qui règne dans la pièce

Une fois que vous serez passé maître dans l'art de comprendre les émotions et les signaux des autres, vous pourrez évaluer l'humeur de tout un groupe. En effet, tout ce que vous aurez appris sur la conscience sociale peut être reproduit à une plus large échelle…

Les émotions sont contagieuses : elles partent d'une ou de deux personnes et se transmettent jusqu'à devenir palpables. Par exemple, imaginez que vous arrivez dans une salle où sont réunis 125 entrepreneurs qui travaillent à faire du réseautage et à partager leurs idées. Un grand enthousiasme et beaucoup d'énergie positive règnent dans la salle, et vous vous en rendez vite compte. Vous prenez conscience du ton et du volume de la voix des gens présents. Vous notez le degré de concentration et d'intérêt des participants en vous servant de leur langage corporel et de leur posture. Maintenant, imaginez que vous entrez dans une salle où 125 individus attendent d'être choisis pour faire partie d'un jury. La salle est tranquille ; les gens essaient de se changer les idées et de passer le temps en lisant, en écoutant de la musique, etc. Bien qu'il s'agisse d'un devoir civique, à peu près tout le monde préférerait être ailleurs. Voilà donc deux groupes et deux états d'esprit tout à fait opposés…

Il existe deux moyens de saisir l'état d'esprit qui règne dans un lieu. Premièrement, vous pouvez vous fier à votre instinct. Lorsque vous entrez dans une pièce, parcourez-la des yeux et notez l'énergie ou le manque d'entrain qui y règne. Remarquez comment les gens sont installés : se tiennent-ils en groupes ou s'isolent-ils dans leur coin ? Parlent-ils beaucoup et bougent-ils les mains ? Certains sont-ils plus enjoués que d'autres ? Que vous dit votre instinct ? Deuxièmement, vous pouvez faire appel à un guide, comme lorsque vous partez en voyage. Votre guide devra être un expert en matière de conscience sociale ; il devra être prêt à vous indiquer les éléments sur lesquels vous attarder pour évaluer l'état d'esprit qui règne dans la salle. Soyez à l'écoute de ce qu'il ressent et voit. Demandez-lui quels indices lui permettent de jauger l'humeur des personnes présentes. Peu à peu, vous arriverez à déceler ces signes par vous-même et à établir l'état d'esprit ambiant. Comparez vos impressions à celles de votre guide. Grâce à cet exercice, vous en viendrez rapidement à faire par vous-même les mêmes observations que lui.

Avec le temps, vous saurez manœuvrer à travers les différentes compétences sociales de façon à découvrir les changements d'humeur d'un groupe. La nature humaine et les comportements des autres finiront par ne plus avoir de secrets pour vous.

8

Les stratégies pour développer la gestion des relations

Au moment d'établir une nouvelle relation (professionnelle ou autre), la plupart des gens sont détendus et attentionnés, et ils font de leur mieux pour que les choses fonctionnent bien. Mais, à la longue, ils finissent par se lasser des efforts, et la lune de miel prend fin.

En réalité, toutes les relations exigent des efforts, même celles qui semblent naturelles. Nous le savons tous, mais le comprenons-nous vraiment ?

Il faut du temps, des efforts et du savoir-faire, autrement dit de l'intelligence émotionnelle, pour entretenir des liens avec autrui. Pour que ceux-ci soit durables, pour qu'ils se consolident avec le temps et pour que les besoins des deux parties soient satisfaits, on doit avoir recours à la dernière habileté de l'intelligence émotionnelle : la gestion des relations.

Heureusement, il est possible de développer cette habileté – laquelle met aussi à profit les trois autres habiletés liées à l'intelligence émotionnelle que nous avons déjà étudiées, soit la conscience de soi, la maîtrise de soi et la conscience sociale. On utilise la conscience de soi pour percevoir ses émotions et estimer si ses besoins sont satisfaits. On fait appel à la maîtrise de soi pour exprimer ses sentiments et donner une orientation favorable à son comportement. Puis, on exploite sa conscience sociale pour mieux comprendre les besoins et les sentiments des autres.

Mais on ne vit pas sur une île déserte, et les relations avec les autres, qui contribuent à l'épanouissement, sont un aspect important de la vie. Comme il faut être deux pour qu'une relation existe, chacun doit assumer la moitié de la responsabilité requise pour approfondir les liens. Les 17 stratégies qui suivent vous aideront à réunir des ingrédients essentiels pour faire progresser vos rapports avec les autres.

Liste des stratégies

1. Soyez ouvert et intéressez-vous aux autres
2. Affinez votre style de communication naturel
3. Évitez d'envoyer des signaux contradictoires
4. Ne négligez jamais de petites choses comme la politesse
5. Acceptez les commentaires des autres
6. Bâtissez la confiance
7. Gardez votre porte ouverte
8. Ne vous fâchez que volontairement
9. Ne tentez pas d'éviter l'inévitable
10. Soyez sensible aux sentiments des autres
11. Trouvez la bonne façon de réagir à une autre personne ou à une situation donnée
12. Montrez votre appréciation
13. Expliquez vos décisions
14. Adressez des critiques directes et constructives
15. Alignez intentions et résultats
16. Intervenez et arrangez les choses avant qu'une discussion ne s'envenime
17. Affrontez les discussions houleuses

1 Soyez ouvert et intéressez-vous aux autres

Vous trouvez peut-être superflu de vous intéresser à vos collègues de travail ? Vous préférez vous occuper des tâches et des projets pour lesquels on vous a engagé, et laisser tomber les manifestations d'émotions ? En fait, vous n'avez pas le choix : même si vous n'avez qu'un ou deux collègues, vous devez établir et entretenir des rapports avec eux. Cela n'est peut-être pas inscrit dans votre description de tâches et n'a probablement même pas été abordé au moment de votre embauche mais, pour réussir au travail, vous devez absolument être ouvert et vous intéresser aux autres.

Voyons ce que nous entendons par « être ouvert » en ce qui a trait à la gestion des relations. Cela veut simplement dire que vous devez partager avec les autres de l'information qui vous concerne. Bien sûr, vous choisirez ce que vous dévoilerez de vous ; sachez, cependant, qu'il y a à s'ouvrir aux autres un avantage qui pourrait orienter vos choix. Une personne qui vous connaît risque moins de mal vous comprendre. Par exemple, si vous aimez arriver au moins cinq minutes à l'avance aux réunions et si vous êtes mécontent de voir des membres de votre équipe se présenter à la dernière minute ou en retard, certains d'entre eux pourraient vous considérer comme un être rigide et coincé. Mais si vos collègues savent que vous vous êtes enrôlé dans l'armée au début de votre carrière, ils comprendront et apprécieront probablement davantage votre ponctualité et votre politesse. Qui sait, ces qualités pourraient même déteindre sur eux !

Par ailleurs, vous devez non seulement vous ouvrir aux autres, mais aussi vous intéresser à eux. Plus vous vous intéresserez à vos collègues et chercherez à les connaître, plus vous réussirez à comprendre et à satisfaire leurs besoins.

En tirant parti de vos habiletés en matière de conscience sociale, choisissez le lieu et le moment propices pour leur poser des questions. Prenez un ton curieux, mais évitez de vous ériger en juge, car vous n'aimeriez pas qu'on vous tienne des propos comme « pourquoi diable as-tu acheté cette moto ? » ou « franchement, que penses-tu pouvoir faire avec un diplôme en philosophie ? », n'est-ce pas ?

Au moment de répondre à vos questions, votre interlocuteur vous livrera des renseignements qui vous aideront à mieux gérer votre relation avec lui, mais surtout il appréciera l'intérêt que vous lui manifestez. Que votre relation soit nouvelle, qu'elle dure depuis longtemps ou encore qu'elle soit difficile, consacrez-lui quelques minutes d'attention, soyez attentif à lui et intéressez-vous à lui.

2 Affinez votre style de communication naturel

Que vous aimiez dire ce que vous pensez lorsque les autres vous parlent ou que vous préfériez éviter toute controverse, votre style de communication naturel façonne vos relations. Faites appel à vos habiletés en matière de conscience de soi, de maîtrise de soi et de conscience sociale pour l'affiner. Au haut d'une feuille, décrivez-le. Pensez à ce que vos amis, votre famille et vos collègues vous disent habituellement à ce sujet : est-il direct, indirect, divertissant, intense ? Êtes-vous à l'aise, sérieux, discret, contrôlant, curieux, envahissant ?

Après avoir divisé le reste de la feuille en deux colonnes, indiquez à gauche les avantages de votre style de communication, c'est-à-dire ce que les autres apprécient de vous lorsque vous interagissez avec eux. À droite, inscrivez ses inconvénients, comme la confusion, les réactions bizarres ou les problèmes qu'il entraîne.

Ensuite, choisissez trois avantages que vous pourriez exploiter pour l'améliorer. Choisissez aussi trois inconvénients et réfléchissez à des moyens de les supprimer ou de les réduire. Soyez honnête avec vous-même. Si vous avez besoin d'aide pour déterminer ce que vous devez améliorer et corriger, sollicitez des suggestions des membres de votre famille, de vos amis ou de vos collègues de travail. En faisant ainsi connaître votre plan, vous vous sentirez responsable de vos choix, ce qui contribuera à faire progresser vos relations de manière durable.

3 Évitez d'envoyer des signaux contradictoires

Sur la route, on peut compter sur les feux de circulation au moment de traverser les rues en toute sécurité. Lorsqu'ils fonctionnent, on fait confiance au système, parce qu'il est clair : il faut arrêter au feu rouge, avancer au feu vert. Mais, si les feux ne marchent pas ou s'ils clignotent pour avertir d'avancer prudemment, c'est chacun pour soi, et le chaos s'instaure. Les gens sont déconcertés. Lorsque leur tour de traverser la rue arrive, ils regardent de tous les côtés avant d'avancer avec précaution. La même chose se produit dans le cas des signaux qu'on envoie aux autres : ils doivent être clairs, sinon c'est la pagaille.

On choisit certains mots pour exprimer ses sentiments, mais ces derniers se manifestent aussi par les réactions et par le langage corporel qu'on a. Si vous adoptez une expression sombre et un ton mal assuré pour dire à vos employés qu'ils ont fait de l'excellent travail au moment du lancement d'un nouveau produit, il y a quelque chose qui ne va pas : vos paroles et votre langage corporel sont en contradiction. En général, les gens ont tendance à croire ce qu'ils voient bien plus que ce qu'ils entendent.

Une bonne maîtrise de soi ne suffit pas nécessairement à empêcher ses émotions de transparaître. On vit toutes sortes d'émotions chaque jour, et le cerveau ne peut pas les trier toutes. Au moment de parler à une autre personne, vous lui transmettez les mots que vous avez en tête, alors que votre corps est peut être en train de réagir à une émotion qui a surgi en lui quelques instants plus tôt.

Vous déconcertez et frustrez les gens lorsque vous leur dites une chose alors que votre corps en trahit une autre. Avec le temps, cette confusion peut entraîner des problèmes de communication qui nuisent à vos relations avec les autres. Pour éviter d'envoyer des signaux contradictoires, faites appel à votre conscience de soi pour reconnaître vos émotions, puis utilisez votre maîtrise de soi pour décider de celles que vous désirez exprimer et de la façon de le faire.

Par ailleurs, il n'est pas toujours approprié que vous laissiez transparaître vos émotions. Disons que, durant une réunion, certains propos vous mettent en colère, mais qu'il n'est pas opportun de manifester immédiatement vos sentiments. Vous pouvez momentanément mettre votre irritation en veilleuse, mais ne la refoulez pas trop longtemps.

> **En général, les gens ont tendance à croire ce qu'ils voient bien plus que ce qu'ils entendent.**

Choisissez un moment où il sera convenable pour vous de la montrer et où cela produira des résultats positifs. Si votre émotion est tellement intense que vous êtes incapable de patienter, expliquez la situation, en disant, par exemple : « J'ai l'air inattentif parce que je ne peux m'empêcher de penser à un appel qui a mal tourné ce matin. »

Au cours des prochains mois, prêtez attention à votre ton et à votre langage corporel, et faites en sorte qu'ils concordent vraiment avec vos paroles. Prenez note, mentalement, des moments où vous dites verbalement que tout va bien, alors que votre corps, le ton de votre voix ou votre attitude transmettent des signaux tout à fait différents. Lorsque vous vous rendez compte que vous envoyez des messages contradictoires, ressaisissez-vous et expliquez la situation.

4 Ne négligez jamais de petites choses comme la politesse

On constate tous les jours dans les journaux télévisés, les téléréalités, les comédies de situation et les journaux que la courtoisie est de moins en moins présente dans les sociétés modernes. Le déclin des bonnes manières s'accompagne aussi d'une diminution des signes d'appréciation. Tant sur le plan des liens personnels que sur celui des relations professionnelles, on entend bien peu de « s'il vous plaît », de « merci » ou de « excusez-moi ». La plupart des travailleurs affirment qu'on ne les remercie *jamais* pour le travail accompli, alors que de simples mots comme « s'il vous plaît », « merci » ou « excusez-moi » pourraient avoir un effet favorable sur leur moral.

Pensez au nombre de fois que vous employez ces formules de politesse. Vous oubliez de les employer par manque de temps ou d'habitude ou même par orgueil mal placé ? Prenez la peine de les intégrer dans vos conversations et dans vos interactions. Ou plutôt, s'il vous plaît, prenez l'habitude de les utiliser plus souvent. Merci.

5 Acceptez les commentaires des autres

Les commentaires des autres sont un cadeau unique. En effet, en vous faisant découvrir des choses que vous n'aviez pas constatées par vous-même, ils vous aident à vous améliorer. Bien sûr, comme vous ne pouvez pas exactement prévoir ce que les autres vous diront, il se peut aussi qu'ils vous réservent de petites surprises.

Afin d'éviter d'être pris au dépourvu par des remarques moins favorables que prévu, faites appel à vos habiletés liées à la conscience de soi pour vous préparer. Demandez-vous ceci : « Qu'est-ce que je ressens lorsque je suis sur la sellette ? Comment est-ce que j'exprime alors mes sentiments ? » Par la suite, utilisez vos habiletés en matière de maîtrise de soi en vous posant cette question : « Comment vais-je réagir ? »

Pour réussir à bien accepter les commentaires des autres, prenez les choses étape par étape. Pensez à la personne qui les a émis. Elle vous connaît, elle connaît votre potentiel et elle cherche sans doute à vous voir vous améliorer ; il y a donc gros à parier que ses remarques soient pertinentes.

Au moment d'entendre les commentaires d'une autre personne, tirez parti de vos habiletés en matière de conscience de soi. Posez-lui des questions pour éclaircir certains points et demandez-lui de vous citer des exemples pour vous aider à mieux comprendre son point de vue. Que vous soyez d'accord ou non avec elle, remerciez-la d'avoir pris le temps de vous en parler. Dites-vous aussi qu'il n'est pas nécessairement plus facile de faire des remarques que de les subir.

Par la suite, ayez recours à vos habiletés en matière de maîtrise de soi pour décider des prochaines étapes : ne vous sentez pas obligé d'agir au plus vite. Le temps vous aidera à absorber certains points, à mettre de l'ordre dans vos émotions et dans vos idées, et à décider quoi faire. Vous rappelez-vous la liste opposant les émotions à la raison (à la page 79) ?

La partie la plus difficile de tout ce processus est sans doute le moment où vous avez entendu les commentaires. Une fois que vous aurez décidé de la façon d'en tenir compte, tenez-vous-en à votre décision. En effectuant les ajustements demandés par la personne, vous lui montrerez que vous avez trouvé ses remarques pertinentes. Prenez ses suggestions au sérieux et mettez-les à l'essai. Il n'y a sans doute pas de meilleur moyen de renforcer votre relation avec elle.

6 Bâtissez la confiance

Avez-vous déjà fait « l'expérience » de la confiance ? Voici comment procéder : placez-vous à un peu plus d'un mètre d'une autre personne en lui tournant le dos. Fermez les yeux et, après avoir compté jusqu'à trois, laissez-vous tomber vers l'arrière de façon que l'autre puisse vous attraper. Une fois cela fait, vous poussez un grand soupir de soulagement ! Ah, si la confiance pouvait se résumer à une affaire de bras solides et d'équilibre !

> Pour paraphraser un slogan populaire, disons que la confiance croît avec l'usage.

Comment la confiance se bâtit-elle ? Entre autres choses, par une communication ouverte, par le partage, par des propos, des gestes et un comportement cohérents, par le respect et la loyauté. Dans la plupart des relations, elle s'installe peu à peu : plus on fait confiance à l'autre, plus elle augmente. Pour paraphraser un slogan populaire, disons qu'elle croît avec l'usage. Mais il suffit parfois de quelques secondes pour la perdre. Elle peut aussi être l'objectif le plus important, mais le plus difficile à atteindre en matière de gestion des relations.

Pour gagner la confiance de quelqu'un, ayez recours à vos habiletés en matière de conscience et de maîtrise de soi. Prenez les devants en vous ouvrant et en abordant certaines choses vous concernant. Évidemment, allez-y graduellement : inutile d'être comme un livre grand ouvert dès le départ.

Pour gérer vos relations, vous devez gérer la confiance que vous manifestez aux autres ; par ailleurs, celle que eux ont en vous est cruciale si vous voulez renforcer les rapports que vous entretenez. Il faut du temps pour cultiver une relation et bâtir la confiance. Pensez à une personne dont il vous faudrait travailler à gagner la confiance et voyez, d'après vous, où se situe le problème. Tirant parti de vos habiletés en matière de conscience sociale, demandez-lui ce que vous pouvez faire pour gagner sa confiance et écoutez bien sa réponse. Vous lui montrerez ainsi que c'est important pour vous, ce qui contribuera à approfondir vos liens.

7 Gardez votre porte ouverte

Voici une petite leçon d'histoire : craignant de perdre leurs privilèges commerciaux en Orient, les États-Unis ont instauré la politique de la porte ouverte en 1899. Grâce à cela, toutes les nations commerçantes ont eu accès au marché chinois.

Le mot « accès » résume tout à fait le concept de la porte ouverte, qui est passé promptement du monde des ententes commerciales à celui du travail. De nos jours, une politique de la porte ouverte est un principe de gestion permettant aux employés de parler à qui ils veulent à tous les échelons de l'entreprise, ce qui favorise la communication directe entre subordonnés et patrons.

Demandez aux gens de votre entourage s'ils croient que vous devriez adopter cette politique pour mieux gérer vos relations avec eux. Elle pourrait être tout à fait adaptée s'ils ont l'impression que vous n'êtes pas facilement accessible et si vous voulez leur montrer qu'ils n'ont pas besoin de prendre rendez-vous avec vous pour vous parler.

Bien sûr, vous n'avez pas à vous sentir obligé d'être là pour tout le monde en tout temps ; mais faites part aux autres de votre politique et respectez-la. Grâce à vos habiletés en matière de conscience de soi, vous pourrez vérifier si elle fonctionne bien pour vous et vous organiser pour qu'elle marche. En observant les autres (c'est-à-dire en faisant appel à vos habiletés en matière de conscience sociale), vous devriez être capable de déterminer si elle convient bien aux autres aussi.

Rappelez-vous que, si les autres ont plus facilement accès à vous, vous améliorerez vos relations avec eux, ce qui ouvrira littéralement la porte à la communication entre vous (même par courriel ou par téléphone). Les gens se sentiront valorisés et respectés si vous leur accordez du temps, et vous aurez ainsi l'occasion de mieux les connaître. Au bout du compte, tout le monde y gagnera.

8 Ne vous fâchez que volontairement

« Tout le monde peut se mettre en colère – c'est facile. Mais se mettre en colère avec la bonne personne, dans la bonne mesure, au bon moment, pour la bonne raison et de la bonne manière, ça, ce n'est pas facile. »

Remercions le philosophe Aristote pour ces paroles sensées, qui aident à mieux gérer ses émotions et ses relations. Si vous pouvez maîtriser cette stratégie, considérez comme un succès votre voyage au pays de l'intelligence émotionnelle. La colère est une émotion qui a sa raison d'être ; il ne faut ni l'étouffer ni l'ignorer. Si vous savez bien la contrôler et l'utiliser à bon escient, vous améliorerez véritablement vos relations avec autrui.

Pensez à l'entraîneur de football qui, après une première partie de match décevante pour son équipe, est capable, à la mi-temps, de motiver ses joueurs et de leur faire des commentaires directs qui soutiennent leur attention et les amènent à fixer leurs pensées sur la deuxième partie du match. Revigorés et bien concentrés, ils sont prêts à gagner lorsqu'ils reviennent sur le terrain. L'entraîneur a réussi à gérer ses émotions pour inciter son équipe à se surpasser.

En trouvant les bons mots pour exprimer sa colère, on communique aux autres la force des sentiments qu'on éprouve et on leur rappelle la gravité de la situation. En revanche, si on manifeste sa fureur trop fortement ou au mauvais moment, on les désensibilise à ce qu'on ressent et on les incite à ne pas nous prendre au sérieux.

Il faut du temps pour apprendre à exploiter une forte émotion comme la colère dans le but d'améliorer ses relations avec les autres puisque, en règle générale, on n'a – heureusement – pas la chance de mettre cette habileté en pratique tous les jours. Avant de pouvoir maîtriser cette stratégie, vous devez donc vous y préparer dans les coulisses, en commençant par devenir conscient de vos sentiments.

Appuyez-vous sur vos habiletés en matière de conscience de soi, puis pensez aux différents stades de la colère et définissez-les. Réfléchissez à ce qui vous ennuie un peu et à ce qui vous fait carrément exploser. Prenez ces éléments en note en choisissant des mots précis et en donnant des exemples pour expliquer aux gens les situations qui vous mettent dans un tel état. Déterminez le moment où vous devriez exprimer votre colère en partant du principe que, si vous ne cachez pas vos sentiments, cela contribuera à améliorer votre relation. Faites appel à vos habiletés en matière de conscience sociale pour voir la situation sous l'angle de l'autre personne et de la réaction qu'elle pourrait avoir.

Rappelez-vous que la gestion des relations nécessite de faire des choix et d'agir dans le but de nouer des liens étroits avec les autres. Pour y parvenir, vous devez être honnête avec eux et avec vous-même, ce qui signifie aussi que vous pouvez vous servir de votre colère dans un but précis.

9 Ne tentez pas d'éviter l'inévitable

Madeleine et vous œuvrez dans le même centre de réception et d'expédition. Elle vous tape sur les nerfs. Vous la connaissez depuis au moins cinq ans et, depuis le début, vous aimeriez bien donner un coup de baguette pour la faire disparaître de votre vue et l'envoyer travailler dans un autre service. Mais il n'existe pas encore de baguette magique de ce genre. Pour ajouter à votre malheur, votre patron vient de vous confier un projet que vous devrez mener à bien avec elle. Elle vous propose alors une rencontre à l'heure du lunch pour discuter des premières étapes du plan, mais vous vous empressez de lui fournir toutes sortes de raisons pour vous désister. Vous venez de la repousser officiellement. Et maintenant ? Vous voilà encore à la case départ, alors que le projet doit avancer. Il vous faut trouver un moyen d'œuvrer ensemble.

Il est absolument nécessaire de faire appel à vos habiletés en matière de gestion des relations car, même si vous ne voulez pas être l'ami de Madeleine, vous êtes tous deux responsables du même projet. Voici une stratégie de base pour réussir à collaborer : ne cherchez ni à l'éviter ni à éviter la situation. Acceptez-la et choisissez de vous servir de votre intelligence émotionnelle pour aller de l'avant avec elle.

Vous devez être attentif à vos émotions et décider de la manière de les gérer. Comme vous n'êtes pas la seule personne en cause, utilisez vos habiletés en matière de conscience sociale pour inclure Madeleine dans le processus et pour vous mettre à sa place. Tout d'abord, rencontrez-la pour découvrir l'expérience qu'elle a acquise dans ce genre de projet et ses préférences quant à la façon de travailler avec vous. Observez son langage corporel pour voir comment elle réagit à votre présence ; peut-être se sent-elle aussi frustrée que vous ! Même si la situation vous déplaît, jetez les bases nécessaires pour établir une bonne relation de travail.

Ensuite, faites-lui part de vos préférences quant à la façon de gérer le projet et entendez-vous sur la manière de procéder. Vous n'avez aucunement besoin de lui mentionner qu'elle vous tape sur les nerfs, mais vous pourriez lui faire savoir que vous préféreriez que chacun bosse de son côté à différentes parties du projet en vous rencontrant de temps en temps pour vous assurer que vous restez tous les deux dans la bonne voie. Si Madeleine est d'accord, votre problème est résolu. Si elle n'est pas d'accord, recourez à certaines de vos autres habiletés en matière de maîtrise de soi et de conscience sociale jusqu'à ce que vous arriviez à un terrain d'entente.

Bien sûr, vous risquez de ressentir certaines frustrations en cours de route ; demandez-vous alors quelles en sont les raisons et décidez des moyens à prendre pour les surmonter. Faites le point au cours de votre prochaine rencontre avec votre collègue, mais surtout gardez en tête les objectifs du projet. À la fin de ce dernier, trouvez un moyen d'exprimer votre reconnaissance pour ce que vous avez accompli ensemble.

10 Soyez sensible aux sentiments des autres

Si vous avez de la difficulté à établir de bonnes relations avec les autres, la stratégie suivante pourrait vous aider. Disons qu'un matin, à votre entrée dans le stationnement de votre entreprise, vous remarquez la présence de votre collègue Julie. Celle-ci retient ses pleurs en sortant de sa voiture. Vous lui demandez si tout va bien, et elle vous répond que non. Vous lui lancez : « Alors, le travail te changera les idées. À tantôt ! » Vous vous étonnez ensuite de la voir vous éviter tout au long de la journée.

Pour réussir à bien gérer vos relations, vous devez d'abord surmonter votre propre malaise face à certains sentiments que les autres expriment, et reconnaître leurs sentiments sans chercher à les étouffer ni à les changer. Avec des paroles comme « Je suis désolé que tu sois aussi bouleversée, que puis-je faire pour t'aider ? », vous pouvez montrer à Julie que, si elle a besoin de pleurer, vous êtes prêt à lui tendre un mouchoir. De petits gestes de ce genre prouvent que vous êtes sensible aux sentiments des autres, sans en faire une montagne, mais sans refuser d'en tenir compte. Tout le monde a droit à ses sentiments. Même si vous ne ressentez pas la même chose qu'une autre personne et même si vous n'êtes pas d'accord avec ce qu'elle ressent, vous devez au moins considérer ses émotions comme légitimes et les respecter.

Reprenons l'exemple de Julie pour vous aider à bien vous y prendre pour valider ses sentiments. Tirant parti de vos habiletés en matière de conscience sociale, vous l'écoutez attentivement et reformulez ce qu'elle vient de vous confier. En vous préoccupant ainsi d'elle, vous lui prouvez non seulement que vous savez écouter, mais que vous êtes un expert en matière de gestion des relations. Julie retrouvera son calme, et vous nouerez des liens plus solides. Il ne vous aura suffi que de prendre le temps de lui accorder un peu d'attention et d'être sensible à ses sentiments.

11 Trouvez la bonne façon de réagir à une autre personne ou à une situation donnée

Si vous appelez votre fournisseur de services téléphoniques pour qu'il vous rembourse des frais qu'il vous a facturés en trop et si vous lui parlez d'un ton calme, vous pouvez vous attendre à ce que le représentant du service à la clientèle se montre affable et courtois.

Disons, maintenant, que vous présentez la même demande, mais en adoptant un ton cassant et désagréable. L'erreur vous a ennuyé et vous a rendu irritable. Vous attendez en ligne depuis 10 minutes, ce qui n'arrange rien. Lorsque le représentant prend enfin l'appel, il peut sentir dans votre voix que ça ne va pas. Il adopte quand même un ton posé pour tenter de résoudre promptement le problème. Vous appréciez son professionnalisme et la qualité du service offert; l'affaire étant réglée, vous n'avez plus à y penser et vous passez à autre chose. Grâce à son savoir-faire, le représentant a su déceler certains signaux que vous envoyiez et s'adapter à vous de sorte à vous offrir un service rapide et efficace, dont l'entreprise et vous, le client, profiteront.

Faisant appel à une stratégie de gestion des relations, ce représentant s'est appuyé sur ses habiletés en matière de conscience sociale – soit l'écoute, la présence d'esprit, et la capacité de se mettre à la place de l'autre, de cerner son état émotif et de choisir la bonne façon de réagir (« réponse complémentaire ») – au lieu de reproduire les émotions de l'autre. Il aurait, d'ailleurs, été très mal avisé d'utiliser le même ton impatient que vous, car cela vous aurait rendu encore plus furieux. Si on s'aventure à reproduire simplement les émotions de ses collègues ou amis, on risque de susciter un mouvement de recul de leur part. En choisissant une réponse complémentaire, on se montre sensible à leurs sentiments et à ce qui est important dans la situation donnée.

Pour vous exercer à développer cette aptitude relationnelle, pensez à une ou deux situations claires que vous avez vécues avec au moins une autre personne. Comment celle-ci a-t-elle réagi ? Sa réponse a-t-elle contribué à améliorer votre humeur ou, au contraire, à vous fâcher davantage ? A-t-elle réussi à s'ajuster de la bonne façon à votre état émotif ? Après avoir répondu à ces questions, concentrez-vous sur votre capacité à réagir de manière appropriée à ce que ressent quelqu'un qui se retrouve dans certaines conditions. Prenez une semaine ou deux pour bien vous préparer à réagir aux situations que vivent vos proches au travail ou à la maison. Votre rôle consiste à être attentif à leur état d'esprit et à être là pour eux. Que vous soyez heureux ou inquiet pour eux, montrez-leur que vous vous préoccupez d'eux et que vous êtes sensible à ce qu'ils traversent.

12 Montrez votre appréciation

Voici une histoire vraie. Un matin, je suis arrivé au travail complètement épuisé. J'avais dû bosser toute la soirée précédente, jusqu'aux petites heures du matin, à un projet que m'avait confié ma patronne. À mon poste de travail, des biscuits au chocolat m'attendaient avec un petit mot : « Merci pour les heures supplémentaires. » Ça venait de ma patronne. Aux prises avec des problèmes de conciliation travail-famille, elle était elle-même très occupée. J'ai été vraiment touché qu'elle ait pris le temps d'aller à la pâtisserie tôt le matin pour m'acheter quelques biscuits afin de me faire plaisir, moi qui ai un faible pour le chocolat. Les biscuits m'ont motivé à travailler encore plus fort, et ce, avec le plus grand des plaisirs.

Ce genre d'histoire peut prendre différentes formes, mais la stratégie demeure toujours la même. Certains membres de votre entourage font de l'excellent travail. N'hésitez pas à leur montrer que vous les appréciez. N'attendez pas avant de faire quelque chose pour eux cette semaine, voire aujourd'hui. Achetez-leur une carte de vœux ou de remerciements, ou un petit quelque chose de significatif qui ne vous coûtera pas cher : choisissez un moyen qui soulignera ce que vous ressentez et qui contribuera à renforcer votre relation avec eux.

13 Expliquez vos décisions

Il peut être effrayant de se retrouver dans le noir dans un lieu inconnu. Par exemple, imaginez que vous arrivez à un terrain de camping tard le soir. Vous risquez d'avoir de la difficulté à vous orienter, de trouver le silence environnant horriblement inquiétant au moment de monter votre tente et d'avoir ensuite de la difficulté à vous endormir. Vous espérez que tout ira pour le mieux…

À votre réveil, le lendemain matin, vous vous sentez fatigué. Mais, en sortant de votre tente, vous êtes agréablement surpris par la beauté du site : il y a une rivière, des montagnes, des sentiers bordés d'arbres et de petits animaux qui se promènent. Il n'y a là rien d'effrayant, et vous oubliez vite votre anxiété de la veille. Qu'y avait-il d'inquiétant, au fait ?

La clarté est la seule différence entre ce matin-là et la soirée précédente : vous vous trouvez au même endroit, avec les mêmes personnes et le même équipement. Voilà ce que ressentent les gens lorsqu'on prend des décisions pour eux. Comme s'ils installaient leur matériel de campement en pleine noirceur, ils sont inquiets au sujet des mises à pied à venir, des négociations de contrat, etc. Même s'ils ne perdent pas leur emploi, ils apprennent qu'ils devront changer de quart de travail ou que leur charge de travail augmentera à la suite de mises à pied subies par leurs collègues. Si certaines déductions augmentent, ils ne le constatent qu'au moment de recevoir leur chèque de paie. Aucune période d'adaptation. Aucun recours possible.

En tant qu'adulte, on a de la difficulté à avaler ce genre de pilule. Pour appuyer une décision, on a besoin de comprendre *pourquoi* elle a été prise.

Lorsque vous faites appel à votre intelligence émotionnelle pour gérer des relations, gardez ceci en tête : au lieu d'instaurer un changement et de vous attendre à ce que les autres l'acceptent tout simplement, prenez le temps d'en expliquer les raisons ; parlez des autres options possibles et indiquez pourquoi celle qui a été choisie est la plus sensée. Mieux encore, si possible, demandez l'avis des personnes concernées avant d'arrêter votre choix sur une solution. Enfin, reconnaissez que votre décision aura des répercussions sur tout le monde. Les gens apprécient la transparence et l'ouverture, même si la décision prise aura des effets négatifs sur eux. La transparence et l'ouverture leur donnent aussi l'impression qu'on leur fait confiance, qu'on les respecte et qu'ils font partie de l'organisation – ils ne restent donc pas dans le noir en se voyant dire quoi faire.

Si vous avez l'habitude de prendre seul vos décisions, vous avez sans doute d'excellentes compétences personnelles. Vos vieilles habitudes sont profondément ancrées en vous – votre cerveau est programmé en fonction d'elles – et il ne vous est pas facile de les changer. Mais il est temps de reprogrammer votre cerveau et de faire appel à vos compétences sociales au moment de trancher.

Tout d'abord, pensez à des décisions que vous aurez à prendre d'ici trois mois et notez-les. Puis, demandez-vous sur qui elles auront des répercussions. Dressez une liste complète des personnes touchées par chacune d'elles et préparez un plan décrivant quand et où vous aborderez le sujet avec elles ; vous devrez parler des détails qui expliquent *pourquoi* et *comment* chaque décision sera mise en œuvre. Au besoin, organisez une réunion à cette fin. En préparant l'ordre du jour, ainsi que les paroles que vous utiliserez, recourez à vos habiletés en matière de conscience sociale et mettez-vous dans la peau des personnes concernées. Ainsi, avant et après la prise de décision, vous pourrez leur parler en respectant ce qu'elles attendent et espèrent de vous.

14 Adressez des critiques directes et constructives

Pensez aux critiques les plus utiles que vous avez reçues dans votre vie. Vous ne vous y attendiez pas nécessairement, mais elles ont modifié votre comportement. Elles peuvent avoir affecté votre performance, votre façon de faire face à une situation particulière ou même votre carrière. Pourquoi ont-elles été aussi favorables ?

Si vous avez la tâche de présenter des critiques, vous pouvez vous servir de plusieurs ouvrages pour vous assurer de respecter les aspects juridiques et humains du processus. Malheureusement, il ne vous suffit pas de tenir compte des aspects juridiques pour que vos remarques contribuent à améliorer une performance ou à faire changer une personne. Vous devez aussi recourir à votre savoir-faire en matière d'intelligence émotionnelle.

Voici comment voir la critique sous l'angle de l'intelligence émotionnelle : pour être efficace, elle doit contribuer à consolider une relation, et elle exige le recours aux quatre habiletés liées à l'intelligence émotionnelle. Tout d'abord, faites appel à vos habiletés en matière de conscience de soi pour savoir ce que vous ressentez à l'idée de formuler vos remarques. Êtes-vous à l'aise ? Pourquoi ? Puis, utilisez vos habiletés en matière de maîtrise de soi pour décider de ce que vous ferez de vos réponses aux questions ci-dessus. Supposons, par exemple, que vous soyez anxieux à l'idée de présenter à vos collègues une critique du protocole téléphonique à observer, car vous ne voulez pas qu'ils pensent que vous les espionnez. Comment pouvez-vous vous y prendre pour surmonter votre anxiété et présenter vos commentaires avec confiance ? Il vous revient de décider de la façon de procéder, mais ne négligez pas ce que vous avez à dire en raison de votre gêne.

> Pour être efficace, la critique doit contribuer à consolider une relation, et elle exige le recours aux quatre habiletés liées à l'intelligence émotionnelle.

Ensuite, faites appel à vos habiletés en matière de conscience sociale et pensez à la cible de la critique. Rappelez-vous que vos commentaires doivent servir à résoudre un problème et non à changer une personne. Comment celle-ci doit-elle comprendre votre message ? Comment devez-vous le présenter pour qu'il soit clair, direct, constructif et respectueux ?

Une critique constructive comprend deux éléments : l'expression d'une opinion et la présentation de solutions. Supposons, par exemple, que Normand soit très direct – vous l'insulteriez en adoptant un ton doucereux pour lui parler d'étiquette téléphonique. Mais, s'il a besoin d'apprendre à soupeser ses propres critiques pour s'améliorer, vous pourriez lui présenter les vôtres de deux façons : en prenant un ton direct, puis en manifestant plus de diplomatie pour qu'il constate la différence. Johanne, elle, est très sensible. Comme vous voulez consolider votre relation avec elle, pensez à sa façon de réagir lorsque vous préparez vos remarques. Vous pourriez dorer la pilule en employant des mots comme « je pense », « je crois » ou « cette fois-ci ». Au lieu de dire : « Ton rapport est mal fait », dites : « Je pense que certaines parties de ton rapport devraient être révisées. Puis-je te faire quelques suggestions ? » Vos suggestions lui seront plus utiles que des ordres. Demandez aussi à la personne concernée d'émettre des commentaires et remerciez-la d'avoir accepté de tenir compte de vos conseils.

....

15 Alignez intentions et résultats

Disons que vous participez à une réunion du personnel et que le prochain sujet à l'ordre du jour est le suivant : trouver pourquoi certaines échéances cruciales ne sont pas respectées. Après moult discussions, Anne semble s'attirer une partie du blâme. Une certaine tension règne dans la salle. Dans une malheureuse tentative pour alléger l'atmosphère, vous lancez : « Eh bien, Anne, tes longues pauses à l'heure du lunch finissent par te rattraper!» Au lieu des rires attendus, un silence oppressant succède à votre remarque. Vous ne comprenez pas ce qui ne va pas et, après la réunion, vous allez voir Anne pour lui dire que vous blaguiez. Mais elle semble contrariée. Malgré vos bonnes *intentions,* vous n'avez pas obtenu le *résultat* escompté. Il est maintenant trop tard pour revenir en arrière.

Pensez à une chef de service axée sur la performance. Elle a de bonnes intentions et veut amener les membres de son équipe à atteindre un objectif ambitieux. Elle se concentre tellement sur la réussite qu'elle finit par ne plus démordre de son idée et par perdre de vue la manière de gérer le travail de ses subordonnés (elle effectue elle-même une grosse partie du travail ou oblige les autres à faire les choses à sa façon, entre autres). Son personnel la considère comme une adepte zélée de la microgestion, comme quelqu'un qui ne partage pas son savoir. Pourtant, son intention est simplement de voir son équipe apprendre et réussir. Encore une fois, les intentions sont bonnes, mais elles donnent de mauvais résultats. Les relations que la chef de service entretient avec les autres sont maintenant ternies, et elle ne comprend pas pourquoi elle n'est pas appréciée.

Si vous devez constamment passer du temps à tenter d'arranger les choses pour préserver une relation ou si vous ne savez pas trop ce qui ne va pas, sachez que ces problèmes sont évitables. En tirant parti de vos différentes habiletés, vous pouvez apporter de petits ajustements qui feront toute la différence.

Pour aligner vos paroles et vos gestes sur vos intentions, recourez à votre conscience et à votre maîtrise de soi, et observez la situation et les personnes concernées. Réfléchissez avant de parler ou d'agir, et réagissez de manière raisonnable et appropriée. Pensez à une situation où le résultat de ce que vous avez dit ou fait ne correspondait pas à vos intentions. Sur une feuille, décrivez l'incident, vos intentions, les gestes que vous avez posés, ainsi que le résultat obtenu ou la réaction des personnes concernées. Notez aussi en quoi vous avez mal compris les choses, puis indiquez ce que vous avez appris rétrospectivement (c'est-à-dire les indices que vous avez ratés), et ce que vous avez appris de vous-même et des autres. Enfin, écrivez ce que vous auriez dû effectuer pour aligner vos intentions sur le résultat attendu. Si nécessaire, demandez à une des personnes concernées de vous apporter son aide.

Dans le cas d'Anne, vous ne vous êtes pas rendu compte que ce n'était pas le bon moment de lancer votre blague. Vous avez ainsi mis votre collègue sur la sellette. La prochaine fois que vous voudrez alléger l'atmosphère, riez de vous et non d'une autre personne. Quant à la chef de service axée sur la performance, elle n'a pas su motiver ses troupes. Elle ne leur a pas donné le temps et l'espace nécessaires pour qu'ils puissent apprendre et s'améliorer par eux-mêmes. Pour bien gérer vos relations, vous devez, avant d'agir, vérifier si vos intentions et les résultats sont bien alignés.

16 Intervenez et arrangez les choses avant qu'une discussion ne s'envenime

Les agents de lignes aériennes sont souvent porteurs de mauvaises nouvelles : de surréservations, de la perte de bagages, de retards dus au mauvais temps ou à des problèmes mécaniques, etc. Ils tentent d'arranger les choses et ont recours à toutes sortes de solutions ou d'outils (comme des bons d'échange, de nouvelles réservations, des compensations financières ou d'autres avantages) pour résoudre le problème et aider les voyageurs à atteindre leur destination finale.

Il arrive qu'on prenne part à des discussions orageuses où l'on aimerait trouver *la* remarque qui contribuera à arranger les choses. De simples conversations peuvent tourner en rond ou dégénérer en disputes. Dans de tels cas, on finit par recommettre des erreurs du passé, par formuler des commentaires regrettables, bref, par blâmer l'autre. Cependant, peu importe qui a dit quoi ou qui a commencé : il faut reprendre la situation en main. On doit donc rapidement savoir prendre du recul, évaluer la crise et trouver une remarque heureuse qui arrangera les choses.

Pour y parvenir, on doit laisser de côté les blâmes et se concentrer sur un moyen de régler la situation. Vous, par exemple, voulez-vous avoir raison ou résoudre le problème ? Faites appel à votre conscience de soi pour vérifier en quoi vous avez contribué à alimenter le feu ; puis, grâce à votre maîtrise de soi, mettez votre comportement négatif de côté et choisissez la bonne voie à suivre. Votre

> Votre remarque doit apporter une bouffée d'air frais dans la conversation, être formulée sur un ton neutre et permettre d'en arriver à un terrain d'entente.

conscience sociale vous aidera à déterminer ce que l'autre personne ressent. En examinant ainsi les deux côtés de la médaille, vous comprendrez comment les choses ont fini par s'envenimer et saurez quoi dire pour essayer de les arranger. Votre remarque doit apporter une bouffée d'air frais dans la conversation, être formulée sur un ton neutre et permettre d'en arriver à un terrain d'entente. Par exemple, vous pourriez tout simplement dire : « Ce n'est pas facile. » Vous pourriez aussi demander à votre interlocuteur ce qu'il ressent. De telles interventions ont des effets bénéfiques dans la plupart des conversations.

Cette stratégie contribuera à maintenir la communication ouverte lorsque vous êtes contrarié ; avec des efforts délibérés et un peu de pratique, vous réussirez à arranger les choses avant que la discussion dégénère et qu'elle atteigne un point de non-retour.

17 Affrontez les discussions houleuses

« Pourquoi n'ai-je pas obtenu cette promotion ? » vous demande Judith d'une voix tremblante et sur un ton désabusé. Voilà le présage d'une discussion houleuse. L'annonce de la promotion de Roger s'est ébruitée avant que vous ayez eu le temps de parler à Judith. Vous appréciez énormément cette dernière et le travail qu'elle effectue, mais vous devez lui expliquer qu'elle n'est pas encore prête à occuper ce poste. Le plus difficile sera de limiter les dégâts, et ça, c'est une tout autre histoire.

Les discussions houleuses sont inévitables – n'essayez même pas de les fuir, vous ne pouvez y échapper – et peuvent se produire à tous les échelons d'une entreprise. Mais il est possible de les contrer efficacement et avec calme. Même si vos habiletés liées à l'intelligence émotionnelle ne vous permettent pas de les éviter, elles vous aident à vous en sortir sans détruire vos relations avec autrui.

Établissez un point sur lequel vous êtes d'accord. Si vous savez que la discussion risque de se terminer par une mésentente, commencez par mentionner un élément sur lequel vous vous entendez (par exemple, un objectif commun). Il se peut que vous soyez uniquement d'accord sur le fait que la conversation sera difficile, mais importante. Dites, par exemple : « Judith, je veux d'abord que tu saches que je t'apprécie, et je suis désolé que tu aies appris la nouvelle d'une autre source que moi. J'aimerais t'expliquer la situation et tout ce que tu as besoin de connaître. Je vais aussi écouter ce que tu as à me dire. »

Demandez à votre interlocuteur de vous faire part de son point de vue et de vous aider à le saisir. Les gens veulent être entendus ; s'ils n'ont pas le sentiment que vous désirez les écouter, ils risquent d'être frustrés. Prenez donc les devants. Dominez vos propres sentiments si nécessaire et attardez-vous à déchiffrer les idées de l'autre personne. Dans le cas de Judith, vous pourriez dire : « Judith, ne sois pas gênée à l'idée de me faire part de ce que tu penses. Je veux bien comprendre ton point de vue. » En agissant ainsi, vous lui montrez que vous vous préoccupez d'elle. Vous avez ainsi l'occasion d'approfondir et de gérer votre relation.

Résistez à l'envie de prévoir des répliques ou des réfutations. Votre cerveau ne peut écouter et préparer une réponse en même temps. Faites appel à votre conscience de soi pour faire taire votre petite voix intérieure et pour diriger votre attention vers la personne qui vous fait face. Judith n'a pas obtenu la promotion qu'elle attendait et l'a appris malencontreusement. Si vous voulez préserver votre relation, vous devez conserver votre calme, l'écouter vous parler de sa déception et résister à l'envie de vous défendre.

Aidez votre interlocuteur à comprendre votre position. Il est maintenant temps d'amener l'autre à saisir votre point de vue. Mettez-le au courant de votre malaise, de vos idées et des raisons qui ont motivé votre choix. Soyez clair et utilisez des mots simples à comprendre. Ne louvoyez pas. Dans le cas de Judith, vos remarques pourraient aussi servir de critique constructive, ce qu'elle mérite. Il peut être pertinent de lui expliquer que Roger a plus d'expérience qu'elle et que le travail lui convient mieux. Comme elle a appris la nouvelle de manière déplaisante, vous devez lui présenter des excuses. La capacité d'expliquer ses idées et de faire preuve de compassion dans une situation difficile est un élément crucial de la gestion des relations.

Faites progresser la discussion. Une fois que les points de vue des deux parties ont été expliqués, un des interlocuteurs doit faire avancer les choses même s'ils sont en désaccord. Dans l'exemple décrit plus haut, cette tâche vous revient. Dites à Judith quelque chose comme : « Je suis content que tu sois venue me voir directement et que nous ayons pu parler. Je comprends ton point de vue, et tu sembles comprendre le mien. Ton avancement me tient toujours à cœur, et j'aimerais travailler avec toi pour te faire gagner l'expérience dont tu as besoin. Qu'en penses-tu ? »

Gardez le contact. Pour qu'une discussion houleuse se termine bien, il faut continuer de prêter attention au problème *après* le litige. Suivez de près la façon dont la situation évolue ; gardez contact avec la personne concernée et demandez-lui si elle est satisfaite des progrès accomplis. Vous réussirez ainsi à consolider votre relation. Pour ce qui est de Judith, montrez-lui que vous continuez de vous intéresser à elle en la rencontrant régulièrement pour lui parler de son avancement professionnel et des possibilités de promotion qui s'offrent à elle.

Au bout du compte, lorsque vous devez vous engager dans une discussion houleuse, préparez-vous à prendre la bonne voie, à ne pas être sur la défensive et à rester ouvert au moment d'appliquer les stratégies ci-dessus. Votre conversation pourrait devenir l'occasion de consolider et de faire avancer votre relation au lieu de la voir se détériorer.

Conclusion

Coup d'œil sur les dernières découvertes en matière d'intelligence émotionnelle

Lorsque TalentSmart^MD a mis en ligne son Test d'intelligence émotionnelle, l'intelligence émotionnelle avait déjà commencé à s'enraciner dans la tête des chefs d'entreprise, des professionnels et de toutes les personnes désireuses de trouver de nouveaux moyens de vivre plus heureuses et en santé. En mesurant leur QE et en leur fournissant des moyens de l'améliorer, le Test est rapidement devenu pour eux un outil leur servant à consolider leurs relations, à prendre de meilleures décisions, à renforcer leur leadership et à assurer la réussite de leur entreprise. Chez TalentSmart^MD, nous avons vu des centaines de milliers de travailleurs – du bas au haut de l'échelle hiérarchique – entreprendre le voyage vers une meilleure intelligence émotionnelle.

Le domaine de l'acquisition d'habiletés liées à l'intelligence émotionnelle ayant connu un véritable essor depuis ce temps, nous avons particulièrement essayé d'évaluer la façon dont les choses ont changé en cours de route. Ce que nous avons découvert en effectuant nos recherches nous a à la fois surpris et encouragés.

Nous avons observé une constante durant ce cheminement : le rôle vital que jouent les habiletés en matière d'intelligence émotionnelle dans la quête d'une vie personnelle et professionnelle heureuse, saine et productive. Plus précisément, nos recherches ont jeté un nouvel éclairage sur la guerre des sexes, l'écart entre les générations, l'avancement professionnel et les emplois mieux rémunérés ; elles nous ont même fourni des indices pour expliquer quels pays seront à même de réussir dans une économie mondiale. En fait, il y a de l'espoir pour tous ceux qui visent à développer leurs habiletés en matière d'intelligence émotionnelle.

Voici ce que nous avons découvert...

Les pôles s'érodent : l'intelligence émotionnelle passée et actuelle

À la fin de 2008, nous avons examiné attentivement la façon dont l'intelligence émotionnelle de la population américaine avait évolué depuis 2003. Même si nous n'étions pas surpris de constater que les personnes à qui nous avions fait passer le test avaient amélioré leur intelligence émotionnelle, nous étions curieux de savoir pourquoi les résultats des internautes qui se soumettaient à ce test pour la première fois s'amélioraient d'une année à l'autre. Étant donné que les notes augmentent lentement mais sans discontinuer, nous pouvons affirmer que l'intelligence émotionnelle des travailleurs a connu une hausse substantielle entre 2003 et 2007.

En examinant le graphique suivant, les sceptiques peuvent être tentés de se dire : « Y a rien là ! Il ne s'agit que d'une croissance de quatre points en cinq ans ! » Pensez, toutefois, aux effets qu'une légère hausse de température – disons de un ou deux degrés – a sur l'écosystème. La même chose s'applique au comportement humain au travail : les pôles correspondant à une faible intelligence émotionnelle commencent à s'éroder.

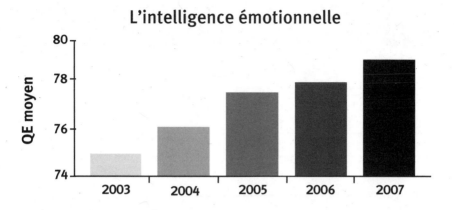

En examinant de près les changements précis engendrés par cette amélioration de l'intelligence émotionnelle, on comprend clairement leur effet. Au cours des cinq dernières années, nous avons constaté que le pourcentage de gens fortement à l'écoute de leurs émotions et de celles de leurs proches est passé de 13,7 à 18,3 %. Au cours de la même période, le pourcentage de personnes ayant de la difficulté à comprendre l'effet de l'anxiété, de la colère et de la frustration sur leur comportement est tombé de 31,0 à 14,0 %. Lorsqu'on reporte ces proportions aux 180 millions de travailleurs américains, on constate qu'il y a 9 millions de personnes de plus qu'en 2003 qui réussissent à garder presque toujours leur sang-froid dans des situations conflictuelles ; donc, 9 millions de personnes de plus montrent à leurs collègues et à leurs clients qu'elles se préoccupent d'eux lorsqu'ils vivent des difficultés. Par la même occasion, il y a 25 millions de gens en moins qui sont inconscients des conséquences de leur comportement sur les autres.

Année	Pourcentage de personnes ayant de bonnes habiletés en matière d'intelligence émotionnelle	Pourcentage de personnes ayant peu d'habiletés en matière d'intelligence émotionnelle
2003	13,7	31,0
2004	14,7	19,0
2005	14,8	18,5
2006	15,1	17,1
2007	18,3	14,0

Cette découverte est vraiment singulière : il faut dire que, avant de passer le test, une très petite fraction de notre échantillon avait reçu une formation réelle sur l'intelligence émotionnelle. Les notes des participants ont quand même augmenté régulièrement d'année en année. On pourrait dire que les personnes qui adoptent volontairement des comportements intelligents sur le plan émotionnel transmettent leurs compétences à celles qui n'ont jamais entendu parler de ce concept. L'intelligence émotionnelle, à l'instar des émotions, est contagieuse. Cela signifie que les habiletés en matière d'intelligence émotionnelle dépendent fortement de l'entourage et des circonstances présentes. Plus on interagit avec des individus empathiques, plus on devient empathique. Plus on passe du temps avec des gens qui discutent ouvertement de leurs émotions, plus on apprend à reconnaître et à comprendre ses propres émotions. C'est précisément ce qui prouve que l'intelligence émotionnelle se développe tout au long de la vie et qu'il ne s'agit aucunement d'un don accordé à la naissance à quelques rares chanceux.

Mais les bonnes nouvelles s'arrêtent là. En 2008, pour la première fois depuis que nous compilons ces statistiques, nous avons constaté une diminution de l'intelligence émotionnelle de l'ensemble de la population. Cela souligne à quel point ces habiletés peuvent changer.

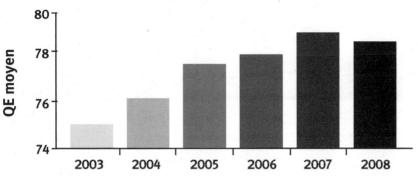

L'intelligence émotionnelle

Les économistes ont déterminé avec précision que le mois de décembre 2007 a marqué le début de la pire crise économique que les États-Unis ont subie en 70 ans ; la récession a donc marqué *toute* l'année 2008. La chute des habiletés en matière d'intelligence émotionnelle entre 2007 et 2008 serait ainsi due à la situation économique. Il faut dire que des problèmes de toutes sortes – financiers, familiaux ou professionnels – engendrent des émotions négatives intenses et continues, elles-mêmes sources de stress. Or, en plus d'avoir des effets physiques (comme un gain de poids et des maladies cardiaques), le stress épuise les ressources mentales.

En l'absence de stress, on peut consciemment déployer tous les efforts nécessaires pour rester calme et serein face aux vicissitudes de la vie quotidienne. On garde confiance en sa capacité à faire face à des événements inattendus, et l'esprit réussit à triompher des difficultés. En revanche, un stress qu'on ne parvient pas à gérer pompe une bonne part des ressources mentales. Laissées à elles-mêmes, les émotions régissent alors le comportement, tandis que la raison tente de faire de son mieux. Un léger ennui au travail, qui nous dérangerait à peine en période de prospérité, prend des allures de catastrophe. Les habiletés en matière d'intelligence émotionnelle de bien des gens

> Autrement dit, nous avons perdu 2,8 millions de soldats très compétents dans la bataille menant à une société plus intelligente sur le plan émotionnel.

149

s'érodent à un moment où elles sont le plus cruciales, c'est-à-dire en situation de crise. Seules les personnes chez qui ces habiletés sont devenues une seconde nature réussissent à tenir le coup.

Année	Pourcentage de personnes ayant de bonnes habiletés en matière d'intelligence émotionnelle	Pourcentage de personnes ayant peu d'habiletés en matière d'intelligence émotionnelle
2003	13,7	31,0
2004	14,7	19,0
2005	14,8	18,5
2006	15,1	17,1
2007	18,3	14,0
2008	16,7	13,8

Le stress semble donc avoir des répercussions significatives sur l'intelligence émotionnelle collective. De 18,3 % de gens ayant une excellente intelligence émotionnelle en 2007, nous sommes passés à seulement 16,7 % en 2008. Autrement dit, nous avons perdu 2,8 millions de soldats très compétents dans la bataille menant à une société plus intelligente sur le plan émotionnel. Au lieu d'aider d'autres à adopter des comportements plus intelligents sur le plan émotionnel, ces 2,8 millions de travailleurs ont dû lutter pour essayer de ne pas émousser leurs propres habiletés.

La guerre des sexes

Sheila a commencé sa carrière comme conseillère financière dans une société d'experts-conseils en se spécialisant dans le domaine des soins de santé. Après quelques années seulement passées à éblouir ses clients et la haute direction, elle a été recrutée par son employeur actuel, un important organisme de soins de santé du Midwest américain. Bien qu'elle ne soit qu'au début de la trentaine, elle est déjà vice-présidente adjointe et elle passera rapidement à un poste supérieur. Ses patrons passés et actuels s'entendent pour dire que c'est une personne « intelligente », mais qu'elle a un petit quelque chose de plus. Après l'avoir observée alors qu'elle avait, à de multiples reprises, désamorcé des situations tendues avec des clients, un ancien patron a résumé le secret de sa réussite en disant qu'elle savait « comprendre » les gens.

En 2003, nous avons constaté que les habiletés des hommes en matière d'intelligence émotionnelle contrastaient vivement avec celles des femmes. Les femmes dépassaient les hommes dans les habiletés suivantes : maîtrise de soi, conscience sociale et gestion des relations. En fait, la conscience de soi était la seule habileté où les hommes se maintenaient au niveau des femmes.

Mais les temps ont changé, et les hommes aussi.

Comme l'indique le graphique ci-après, les hommes et les femmes ont les mêmes aptitudes à reconnaître leurs propres émotions. En ce qui concerne leur capacité à gérer leurs propres émotions, les hommes ont rattrapé leur retard. On ne peut mettre ce changement que sur le compte de l'évolution des normes sociales.

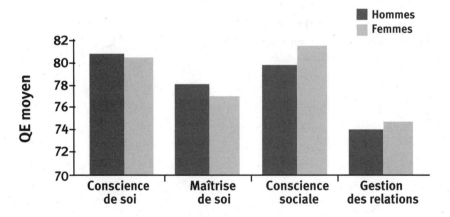

L'intelligence émotionnelle :
les différences entre les hommes et les femmes

Cette évolution avantage les hommes. En effet, on les encourage doré-
navant à prêter de plus en plus attention à leurs émotions, une aptitude
fort utile quand on veut avoir les idées claires. Il n'est donc pas étonnant
que 70 % des leaders mâles qui se classent parmi les premiers 15 % en
ce qui a trait aux compétences liées à la prise de décisions obtiennent
aussi les meilleurs résultats dans les habiletés liées à l'intelligence émotionnelle. En revanche, aucun des leaders mâles ayant obtenu de mauvais résultats en matière d'intelligence émotionnelle n'a de bonnes
compétences en matière de prise de décisions. Cela semble, de prime
abord, contre-intuitif. Cependant, le fait de prêter attention à leurs émotions est le moyen le plus *logique* d'en arriver à prendre de bonnes décisions. Au lieu de croire que le temps passé à combattre leurs angoisses
et leurs frustrations est un signe de faiblesse, les hommes ont maintenant
la liberté de mieux contrôler leurs émotions.

Le pouvoir et l'intelligence émotionnelle

Étant donné la montagne de documentation existant sur l'intelligence
émotionnelle, on pourrait s'attendre à ce que les dirigeants d'entreprise
soient très compétents sur ce plan. Comme nous l'avons révélé dans l'article « Heartless Bosses » (titre signifiant « des patrons sans cœur »), paru
dans le *Harvard Business Review,*
nos recherches montrent que le
message ne passe pas encore. Nous
avons mesuré le QE d'un demi-
million de cadres supérieurs (dont
1 000 P.D.G.), de chefs de service

> En moyenne, les P.D.G. ont les
> moins bonnes notes en matière
> d'intelligence émotionnelle.

et d'employés subalternes travaillant dans toutes sortes d'entreprises sur six
continents. Les notes augmentent selon le type d'emploi occupé, du bas de
l'échelle hiérarchique jusqu'aux cadres intermédiaires. Les cadres intermédiaires obtiennent les meilleurs résultats, puis il y a une baisse abrupte des
notes quand on arrive aux échelons supérieurs. Les résultats des directeurs
et autres cadres supérieurs chutent plus vite. En moyenne, les P.D.G. ont
les moins bonnes notes en matière d'intelligence émotionnelle.

L'intelligence émotionnelle et le type d'emploi

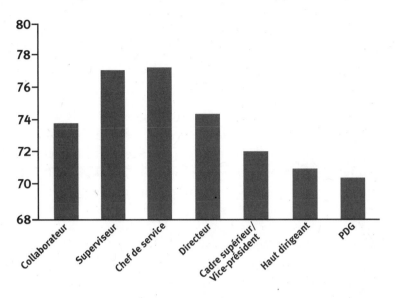

La fonction principale d'un leader est de faire en sorte que ses subalternes effectuent le travail qui leur est assigné. On pourrait donc croire que plus un poste est élevé, plus la personne qui l'occupe est compétente. En fait, c'est le contraire qui se produit. Trop de leaders sont promus en raison de leurs connaissances ou de leurs années d'ancienneté, et non de leur aptitude à diriger. Une fois au sommet, ils passent *moins* de temps à interagir avec le personnel. Toutefois, parmi les cadres supérieurs, ceux qui ont les meilleurs résultats en matière d'intelligence émotionnelle sont aussi ceux qui sont le plus performants. Nous avons découvert que les habiletés liées à l'intelligence émotionnelle comptent plus, pour ce qui est du rendement au travail, que n'importe quelle autre compétence en leadership. La même chose s'applique à tous les types d'emplois : les employés ayant les résultats les plus élevés en matière d'intelligence émotionnelle surpassent leurs pairs.

L'écart entre les générations : le QE et l'âge

Les baby-boomers ont commencé à quitter massivement le marché du travail. Selon le bureau du travail américain (US Office of Personnel Management), entre 2006 et 2010, leur départ à la retraite privera les entreprises américaines de près de 290 000 employés à temps plein.

Les cheveux gris, les régimes de retraite et les souvenirs des assassinats des Kennedy ne sont pas les seules choses qui disparaîtront du paysage économique lorsque les baby-boomers commenceront à goûter une vie plus tranquille. Il faut savoir qu'ils occupent la majorité des postes de leadership au travail, et leur départ créera un vide que les générations suivantes devront combler. Mais leurs héritiers seront-ils à la hauteur ?

Pour tenter de le découvrir, nous avons subdivisé les résultats de nos tests en fonction des quatre générations actuellement présentes sur le marché du travail, soit la génération Y (les personnes de 18 à 30 ans), la génération X (de 31 à 43 ans), la génération du baby-boom (de 44 à 61 ans) et la génération silencieuse (de 62 à 80 ans). Ensuite, nous avons examiné les résultats relatifs à chacune des quatre habiletés principales liées à l'intelligence émotionnelle. Pour ce qui est de la maîtrise de soi, nous avons constaté un écart énorme entre les travailleurs de la génération du baby-boom et ceux de la génération Y. En un mot, les baby-boomers sont moins enclins que les travailleurs plus jeunes à sortir de leurs gonds lorsque les choses ne vont pas comme ils le veulent.

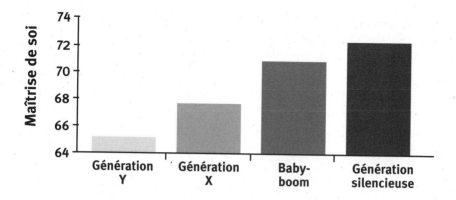

Nous ne devrions toutefois pas nous en inquiéter. Après tout, la retraite est une réalité depuis que Franklin D. Roosevelt a signé la Social Security Act (loi sur la sécurité sociale) en 1935. La génération qui a désigné Dennis Hopper comme son porte-parole non officiel a prouvé qu'elle était capable de chausser les bottes de travail de la « grande génération » (ou génération GI, qui est allée au combat durant la Seconde Guerre mondiale). Les leaders en devenir devraient donc parvenir à remplacer sans trop de problème la génération qui a vécu au temps du film *Easy Rider*.

Toutefois, les futurs leaders devront affiner leurs habiletés en matière de maîtrise de soi, sinon le voyage risque d'être plus pénible que prévu. Si l'approche de la génération Y risque d'être *différente* de celle des baby-boomers, beaucoup soutiennent qu'elle ne peut être *pire*. En fait, en cette ère électronique, en tenant compte des grandes connaissances et compétences techniques des travailleurs de la génération Y, il se pourrait même que celle-ci ait un avantage sur ses prédécesseurs. Cependant, pour être un bon leader, il ne suffit pas de savoir utiliser Wikipedia. Si les jeunes de la génération Y n'ont pas une bonne maîtrise de soi, comment pourront-ils gérer leurs relations avec les autres ?

Chez TalentSmart[MD], nous avons retourné ces idées dans nos têtes pour trouver des explications à ce gouffre entre les jeunes et les personnes d'expérience. Nous avons envisagé l'hypothèse suivante : la trop grande indulgence des parents et l'omniprésence des jeux vidéo et d'Internet ont engendré une génération de jeunes travailleurs nombrilistes, qui ne peuvent s'empêcher de manifester leurs émotions dans des situations difficiles. Mais cette hypothèse ne nous a pas totalement convaincus.

Nous avons alors examiné nos données sous un nouvel angle, et le tableau s'est éclairci. La maîtrise de soi est une habileté qui semble s'acquérir avec l'âge : les personnes de 60 ans obtiennent de meilleurs résultats que celles de 50 ans, qui ont de meilleurs résultats que celles de 40 ans, etc. Cela signifie que l'inaptitude des jeunes à maîtriser leurs émotions n'a pas grand-chose à voir avec des éléments incontournables de la vie actuelle, comme les iPods et MySpace. En fait, les jeunes des générations X et Y n'ont simplement pas vécu assez longtemps pour s'exercer à maîtriser leurs émotions. Voilà de bonnes nouvelles, et il leur suffira de mettre cette habileté en application – rien n'est donc coulé dans le béton.

Cette découverte en dit aussi long sur la nature malléable de l'intelligence émotionnelle que sur les différences entre les générations. Avec de la pratique, tout le monde peut – et beaucoup de gens y parviennent – apprendre à détecter ses émotions et à les gérer. Il faut du temps pour développer des habiletés, mais on peut y parvenir beaucoup plus vite si on y consacre sciemment un minimum d'efforts.

> ... l'inaptitude des jeunes à maîtriser leurs émotions n'a pas grand-chose à voir avec des éléments incontournables de la vie actuelle, comme les iPods et MySpace.

L'énorme capacité à absorber de nouvelles informations et à acquérir des aptitudes est un des traits distinctifs de la génération Y. Il revient donc à chacun d'effectuer le travail nécessaire pour accélérer le rythme de développement de la maîtrise de soi. Autrement dit, les travailleurs de la génération Y peuvent soit laisser faire le temps (et attendre d'avoir 50 ans pour contrôler leurs émotions), soit se prendre immédiatement en main. En agissant dès maintenant, toutefois, ils pourraient être prêts à diriger des subalternes d'une main de pro dès qu'ils auront atteint la trentaine.

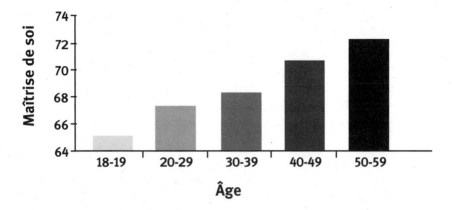

Comme les baby-boomers ont tendance à quitter tôt le marché du travail, non seulement les jeunes dans la vingtaine *peuvent* se préparer à occuper des postes de leaders dès maintenant, mais ils *doivent* s'y préparer. Ceux qui prennent le temps et font l'effort de résister à la tentation de hausser le ton inutilement et de maintenir ouvertes les voies de la communication lorsqu'ils sont contrariés sont ceux qui seront appelés à occuper les postes de leaders dans les entreprises de demain. Et ces emplois bien rémunérés leur offriront aussi la chance de changer le monde, comme l'espère si désespérément la génération Y.

L'arme secrète des Chinois en matière d'intelligence émotionnelle

« Fait en Chine » : le sens de cette petite formule s'est élargi. La main-d'œuvre de ce pays de 1,3 milliard d'habitants a longtemps été considérée comme le seul avantage concurrentiel de la Chine dans l'économie mondiale. Si les entreprises américaines fermaient les yeux face aux ouvriers chinois, la main-d'œuvre qualifiée de ce pays en plein essor constitue maintenant une grande menace pour elles.

Oubliez que Wal-Mart importe chaque année de Chine des marchandises à hauteur de 25 milliards de dollars. Il n'y a là rien de nouveau. Actuellement, la Chine a les travailleurs compétents nécessaires pour faire main basse sur des secteurs comme la finance, les télécommunications et l'informatique. En 2004, le géant de l'informatique Lenovo a acheté IBM au prix de 1,25 milliard. En 2005, des investisseurs américains ont tout fait pour se procurer d'une banque chinoise réalisant un premier appel public à l'épargne (PAPE) une partie des titres valant 521 milliards de dollars. Il s'agissait de la première institution financière chinoise à offrir un PAPE outre-mer et, malgré les énormes montants en jeu, il ne s'agit que de la troisième banque par ordre d'importance en Chine. Même si l'équilibre des forces économiques ne s'est pas totalement déplacé, il est bien connu que la Chine est le plus grand créancier des États-Unis.

> En matière de maîtrise de soi et de gestion des relations, les cadres américains se retrouvaient en moyenne avec des notes inférieures de 15 points à celles des cadres chinois.

Il y a quelques années, les chercheurs de TalentSmart[MD] ont décidé de cerner le rôle tenu par l'intelligence émotionnelle au moment où la Chine est passée de fournisseur à bas prix à leader du savoir. Ils ont consacré l'été de 2005 à mesurer l'intelligence émotionnelle de 3 000 cadres supérieurs chinois. Leurs découvertes font ressortir l'ingrédient secret du succès de la Chine sur le plan économique, ingrédient qui constitue une menace sérieuse contre la capacité des Américains à faire concurrence à ce pays sur le marché international : la discipline. En matière de maîtrise de soi et de gestion des relations, les cadres américains se retrouvaient en moyenne avec des notes inférieures de 15 points à celles des cadres chinois.

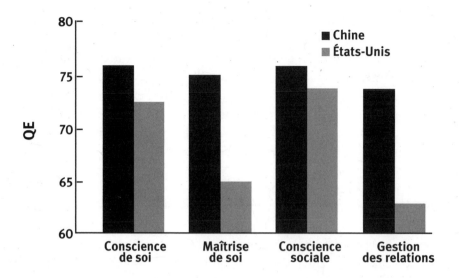

Habiletés liées à l'intelligence émotionnelle

Les 3 000 cadres chinois ayant participé à notre étude ont été formés localement. Ils provenaient tous d'entreprises du secteur privé ou public, et avaient passé la version chinoise du Test d'intelligence émotionnelle. En matière de conscience de soi et de conscience sociale, leurs résultats (bien que plus élevés de quelques points que ceux de l'échantillon américain) étaient statistiquement similaires à ceux des cadres américains. Les cadres des deux pays ont donc une conscience similaire de leurs émotions et de celles des autres, mais les Chinois savent mieux utiliser cette habileté.

Les cadres chinois exploitent réellement des qualités que les services des ressources humaines des Américains se contentent de *permettre* d'inclure dans le modèle de compétences de leurs entreprises. Les leaders américains aiment ce que ça donne sur papier, sans chercher à prêcher par l'exemple. Ils dépensent plus d'énergie à parler qu'à agir en matière de rétroaction, de travail d'équipe et d'engagement envers leurs pairs.

En Chine, les relations personnelles et les affaires font bon ménage depuis toujours. Les cadres prévoient des repas avec leur personnel afin de discuter de toutes sortes de sujets, comme la conjoncture économique, les aspirations professionnelles et la famille. Les travailleurs s'attendent à ce que leurs supérieurs hiérarchiques donnent l'exemple au moment de prendre des décisions, d'interagir avec les autres et de s'améliorer. Les gens prennent toutes ces tâches à cœur et se sentent véritablement honteux s'ils ne les remplissent pas adéquatement.

Les répercussions de ce genre d'engagement sont claires : il faut apprendre à gérer ses émotions ou en subir les conséquences. Les pays qui tentent de protéger leur avantage concurrentiel dans l'économie mondiale ou ceux dont l'étoile est montante ne peuvent se permettre de sous-estimer le lien entre intelligence émotionnelle et prospérité économique. La Chine semble avoir un léger avantage, pour le moment, en raison de l'éducation que les cadres chinois reçoivent. Lorsqu'on vit dans une culture où les déferlements d'émotions et une satisfaction personnelle inconsidérée sont jugés honteux, on voit sa maîtrise de soi et sa gestion des relations en être affectées. Comme nous l'avons mentionné plus tôt, l'intelligence émotionnelle est fortement liée à la culture. Il s'agit maintenant de savoir si cette dernière favorise ou inhibe les comportements intelligents sur le plan émotionnel.

D'après un vieux proverbe chinois, « Si tu donnes une canne à pêche à un homme, il pêchera un poisson par semaine ; si tu lui dis quel appât utiliser, il prendra un poisson par jour. Mais si tu lui montres où et comment pêcher, il pourra se nourrir toute sa vie. » En revanche, si un individu n'a ni canne à pêche, ni appât, ni aucune connaissance sur la façon de s'y prendre et sur l'endroit où aller, il risque sérieusement de mourir de faim. De la même façon, les personnes qui n'ont aucune intelligence émotionnelle et qui comprennent peu ou mal le rôle des émotions dans leur vie ont beaucoup de difficulté à réussir. Par ailleurs, celles qui utilisent les bons outils et les stratégies adéquates pour exploiter leurs émotions s'organisent pour prospérer. La même chose s'applique aux individus, aux entreprises et même aux pays.

Le mot de la fin : l'intelligence émotionnelle et l'avenir

Bien qu'encourageantes, toutes ces découvertes constituent aussi des mises en garde sérieuses. Des éléments comme l'amélioration continue (pendant cinq ans) de l'intelligence émotionnelle au fil des années, puis sa chute inattendue en 2008, ainsi que le développement des habiletés des hommes en matière d'intelligence émotionnelle prouvent hors de tout doute que cette dernière s'apprend et se désapprend. Tout comme vous pouvez faire énormément d'efforts pour perdre du poids durant l'été et regagner tous les kilos en moins de deux durant la période des fêtes, il vous est possible d'acquérir des habiletés liées à l'intelligence émotionnelle et de les perdre par la suite. Voilà pourquoi nous vous invitons à lire ce livre et à passer en revue les stratégies expliquées, et ce, au moins une fois par année.

Vous ne vous attendez pas à devenir et à rester éternellement un pro du golf ou un excellent pianiste si vous vous exercez seulement pendant six mois et si vous laissez tout tomber par la suite, n'est-ce pas ? Même chose en ce qui concerne l'acquisition des habiletés relatives à l'intelligence émotionnelle. Si vous abandonnez la partie et cessez consciemment de mettre vos aptitudes en pratique, vous retournerez à vos vieilles habitudes et vous vous laisserez accabler par les difficultés que la vie vous réservera. Il est bien plus facile de perdre ces habiletés chèrement acquises – tout comme les relations que vous avez développées et les décisions que vous avez mises en œuvre – que de les gagner.

Notes

Un voyage

L'aventure de Butch Connor avec un requin blanc est tirée d'un ouvrage fort divertissant racontant toutes sortes d'histoires vraies et écrit par Diamond, Paul. *Surfing's Greatest Misadventures: Dropping In on the Unexpected,* Seattle, Casagrande Press, 2006. En ligne: www.casagrande press.com/sgm.html. Cet incident a aussi fait l'objet d'un article écrit par Bulwa, Demian. « Surfer goes toe-to-toe with shark », *The San Francisco Chronicle,* 31 mai 2004.

W. I. Payne est l'inventeur du terme « intelligence émotionnelle » : « A Study of emotion : Developing emotional intelligence : Self integration ; relating to fear, pain and desire », thèse de doctorat, The Union Institute, Cincinnati, OH, 1988.

Recherches originales sur l'intelligence émotionnelle, ayant contribué à la popularisation du terme. De l'Université Yale : Mayer, Jack, et autres. « Perceiving affective content in ambiguous visual stimuli : A component of emotional intelligence », *Journal of Personality Assessment,* 54, 1990. Une autre étude établit le lien entre intelligence émotionnelle et réussite : Mayer, Jack, et Peter Salovey. « The intelligence of emotional intelligence », *Intelligence,* 17, 1993. Un troisième lien est établi avec le bien-être : Mayer, J., et A. Stevens. « An emerging understanding of the reflective (meta) experience of mood », *Journal of Research in Personality,* 28, 1994.

Gibbs, Nancy. « The EQ Factor ». *Time Magazine,* 2 octobre 1995.

Bradberry, Travis, et Jean Greaves. *Zoom sur l'intelligence émotionnelle,* traduction de *The Emotional Intelligence Quickbook,* New York, Simon & Schuster, 2005.

Une vue d'ensemble

Le tableau des émotions a été reproduit et modifié avec la permission de Julia West. Le tableau original destiné aux auteurs de science-fiction se trouve sur son site Web : http ://www.sff.net/people/julia.west/CALLI-HOO/dtbb/feelings.htm.

Le terme « détournement émotif » (*emotional hijacking*), qui correspond à une perte de contrôle de ses émotions, a été introduit par Daniel Goleman dans son livre *Emotional Intelligence : Why It Can Matter More Than IQ,* New York, Bantam, 2005.

La tendance des personnes ayant une faible intelligence émotionnelle à rattraper des collègues ayant des notes plus élevées, après avoir appris à développer ces habiletés, est tirée de Ashkanasy, Neil M. « The case for emotional intelligence in workgroups », Présentation faite au congrès annuel de la Society for Industrial and Organizational Psychology, avril 2001.

L'intelligence émotionnelle comprise dans 33 autres compétences liées au leadership apparaît dans le livre suivant : Bradberry, Travis, *Self-Awareness : The Hidden Driver of Success and Satisfaction,* New York, Putnam, 2009.

Le lien entre le QE et le rendement au travail, de même que la tendance qu'ont les personnes ayant une excellente performance à avoir aussi un excellent QE, est expliqué par Bradberry, Travis, et Jean Greaves, *Zoom sur l'intelligence émotionnelle,* traduction de *The Emotional Intelligence Quickbook,* New York, Simon & Schuster, 2005.

Le lien entre l'intelligence émotionnelle et le salaire annuel est tiré de Tasler, N., et T. Bradberry. « EQ = $ », TalentSmart, 2009. Accessible en ligne à l'adresse suivante : http://www.talentsmart.com/learn/online_whitepaper2.php?title=EQ_MONEY&page=1.

Les quatre habiletés liées à l'intelligence émotionnelle

Le modèle d'intelligence émotionnelle comportant quatre habiletés (conscience de soi, maîtrise de soi, conscience sociale et gestion des relations), elles-mêmes regroupées sous les catégories compétences personnelles et compétences sociales, est tiré de Goleman, Boyatzis et McKee, *Primal Leadership : Realizing the Power of Emotional Intelligence,* Boston, Harvard Business School Press, 2002.

Le lien entre la conscience de soi et le rendement au travail apparaît dans le livre suivant : Bradberry, Travis, *Self-Awareness : The Hidden Driver of Success and Satisfaction,* New York, Putnam, 2009.

Plus de 70 % des personnes qui ont passé nos tests ont de la difficulté à affronter le stress : cette donnée est tirée de Bradberry, Travis, et Jean Greaves, *Zoom sur l'intelligence émotionnelle,* traduction de *The Emotional Intelligence Quickbook,* New York, Simon & Schuster, 2005.

L'importance de laisser de côté des besoins passagers pour penser à des objectifs plus importants est tirée de Ayduk, O., et W. Mischel, « When Smart People Behave Stupidly : Reconciling inconsistencies in social-emotional intelligence », un chapitre du livre *Why Smart People Can Be So Stupid*, Robert J. Sternberg, éd., New Haven, Yale University Press, 2002.

Mon plan d'action

Les études sur la plasticité du cerveau sont tirées des ouvrages suivants : Pons, T. P., et autres, « Massive cortical reorganization after sensory deafferentation in adult macaques », *Science,* 252. Jain, N. « Deactivation and reactivation of somatosensory cortex is accompanied by reductions in GABA straining », *Somatosens Mot. Res.,* 8, 1997, p. 347-354. Borsook,

D., et autres. «Acute plasticity in the human somatosensory cortex following amputation», *NeuroReport*, 9, 1998, p. 1013-1017. Cornelleson, Kari. «Adult brain plasticity influenced by anomia treatment», *Journal of Cognitive Neuroscience*, 15, 2003, p.3.

Les études du Harvard Medical School portant sur les composantes structurelles du cerveau sont tirées des ouvrages suivants: Van der Kolk, B. A. «The Body keeps the score: Memory and the emerging psychobiology of post traumatic stress», *Harvard Review of Psychiatry*, 1, 1994, p. 253-265. Van der Kolk, B. A., et autres. «Dissociation, somatisation, and affect dysregulation: the complexity of adaptation of trauma», *American Journal of Psychiatry*, 153, 1996, p. 83-93.

L'analyse comparative expliquant les changements dans le QE six ans après le début du développement d'une habileté liée à l'intelligence émotionnelle apparaît dans l'ouvrage suivant: Boyatzis, Richard, et autres. *Innovation in Professional Education: Steps on a Journey from Teaching to Learning*, San Francisco, Jossey-Bass, 1995.

Les stratégies pour développer la maîtrise de soi

La stratégie n° 3, « Faites connaître vos objectifs », tient compte des recherches de Hesselbein, Francis, et autres. *The Leader of the Future*, San Francisco, Jossey-Bass, 1997.

La stratégie n° 7, « Souriez et riez », présente les avantages du sourire établis par Soussignan, R. «Duchenne smile, emotional experience, and autonomic reactivity: A test of the facial feedback hypothesis», *Journal of Personality and Social Psychology*, 2, 2002, p. 52-74.

La stratégie n° 9, « Soyez maître de votre discours intérieur », précise le nombre de pensées qui assaillent une personne chaque jour, d'après des études de The National Science Foundation (www.nsf.gov).

L'importance du discours intérieur dans la gestion des émotions est décrite par : Fletcher, J. E. « Physiological Foundations of Intrapersonal Communication », Roberts & Watson, éd., *Intrapersonal Communication Processes*, New Orleans, Spectra, 1989, p. 188-202. Grainger, R. D. « The Use – and Abuse – of Negative Thinking », *American Journal of Nursing*, 91, 8, 1991, p. 13-14. Korba, R. « The Cognitive Psychophysiology of Inner Speech », Roberts & Watson, éd., *Intrapersonal Communication Processes*, New Orleans, Spectra, 1989, p. 217-242. Levine, B. H. *Your Body Believes Every Word You Say : The Language of the Body/Mind Connection*, Boulder Creek, Aslan, 1991.

La stratégie n° 10, « Imaginez-vous en train de réussir », discute du pouvoir de la visualisation à partir des découvertes de : Kosslyn, S. M., Ganis, G., Thompson, W. L. « Mental imagery and the human brain », *Progress in Psychological Science Around the World, vol. 1 : Neural, Cognitive and Developmental Issues*, New York, Psychology Press, 2007, p. 195-209.

Les stratégies pour développer la conscience sociale

La stratégie n° 2, « Soyez attentif au langage corporel », discute de l'aptitude à comprendre les émotions, les expressions faciales et le langage corporel, à partir de recherches menées par le docteur Paul Ekman, dans l'ouvrage *Emotions Rebealed : Recognizing Faces and Feelings to Improve Communication and Emotional Life*, New York, Henry Holt & Company, 2007.

Les stratégies pour développer la gestion des relations

La stratégie n° 4, « Ne négligez jamais de petites choses comme la politesse », aborde la question du déclin des bonnes manières en Amérique et présente des opinions d'employés à ce sujet à partir des recherches menées par Public Agenda Research Group, rapportées sur le site ABCNEWS.com, le 3 avril 2002, et ABCNEWS/World Tonight Poll, mai 1999.

Les recherches sur les façons d'arranger les choses au moment de discussions houleuses sont tirées de : Gottman, John, et Robert W. Levenson. « A Two-Factor Model for Predicting When a Couple Will Divorce: Exploratory Analyses Using 14-Year Longitudinal Data », *Family Process,* 41, 2002, p. 83-96.

Conclusion

Les données sur l'intelligence émotionnelle et les types d'emplois sont de Bradberry, Travis, et Jean Greaves. *Zoom sur l'intelligence émotionnelle,* traduction de *The Emotional Intelligence Quickbook,* New York, Simon & Schuster, 2005. Bradberry, Travis, et Jean Greaves. « Heartless Bosses », *The Harvard Business Review,* décembre 2005.

Pour en savoir plus

Les auteurs sont les cofondateurs du groupe de recherches et de consultation mondial, TalentSmart^{MD}, qui est le plus grand fournisseur de tests et de formations sur l'intelligence émotionnelle, et qui apporte une aide précieuse à plus de 75 % des entreprises de Fortune 500.

TalentSmart^{MD} offre gratuitement des ressources sur l'intelligence émotionnelle, dont des articles et un bulletin d'information abordant tout ce qui touche à l'apprentissage en milieu de travail. Ces ressources sont accessibles en anglais à l'adresse suivante : www.TalentSmart.com/learn

Pour en savoir plus sur le Test d'intelligence émotionnelle, y compris le manuel technique et les réponses à la foire aux questions, visitez le site suivant : www.TalentSmart.com/appraisal

Si vous désirez en savoir plus sur l'intelligence émotionnelle ou si vous cherchez des outils pour vous aider à enseigner cette notion à d'autres personnes, communiquez avec nous au :

1 888 818-SMART

(ligne sans frais pour les personnes qui téléphonent du Canada et des États-Unis)

Ou

858 509-0582

Visitez notre site Web : www.TalentSmart.com

Faites-nous part
de vos commentaires

Assurer la qualité de nos publications
est notre préoccupation numéro un.

N'hésitez pas à nous faire part de
vos commentaires et suggestions
ou à nous signaler toute erreur
ou omission en nous écrivant à :

livre@transcontinental.ca

Merci !

Les Éditions
Transcontinental

Votre code d'accès:

FRCLFDZPUK

100% · BIO GAZ ÉNERGIE · PERMANENT · Imprimé sur Rolland Enviro110, contenant 100% de fibres recyclées postconsommation, certifié Éco-Logo, Procédé sans chlore, FSC Recyclé et fabriqué à partir d'énergie biogaz.